Petit livre
de recettes régressives
pour gourmets nostalgiques

Collection *mon grain de sel*
dirigée par Raphaële Vidaling

Cette collection donne la parole à des amateurs passionnés qui ne sont ni des chefs ni des auteurs confirmés. Les livres sont réalisés sans styliste culinaire, et donc sans aucun trucage : les auteurs cuisinent eux-mêmes les plats, les photographies sont réalisées à la lumière naturelle… et ensuite, on mange tout ! Il n'y a donc aucune raison pour que ce que vous voyez là ne ressemble pas à ce que vous serez capable de faire vous-même en suivant la recette.

www.mongraindesel.fr

Petit livre
de recettes régressives
pour gourmets nostalgiques

Textes : Nicole Seeman et Raphaële Vidaling
Photographies : Raphaële Vidaling

Tana
éditions

Sommaire

Introduction

La fameuse petite madeleine   10

À quelle occasion cuisiner régressif ?   14

Les ingrédients de l'enfance   22

Souvenirs croustillants

· Petits palmiers salés   28

· Boulettes de coquillettes à la mimolette et au cumin   30

· Minipizzas de spaghettis poêlés   32

· Chips de patate douce   34

· Purée d'avocats au pop-corn   36

· Carottes râpées au lait de coco   38

· Filet de porc en croûte de cacahuètes   40

· Thon en croûte de parmesan à la vinaigrette au poivron   42

· Steak haché géant aux deux lagons bleus   44

· Nuggets de poulet à la mimolette, sauce aux petits-suisses   46

· Travers de porc caramélisés au ketchup   48

· Frites de patate douce   50

· Scones surprises au chocolat blanc   52

· Sablés à la réglisse   54

Souvenirs crémeux

· Feuilletés à la bovine hilare — 60
· Soupe tomate-orange aux petites lettres — 62
· Soupe de châtaignes à la réglisse — 64
· Velouté de chou-fleur aux chips de betterave — 66
· Jambon purée chic — 68
· Petites purées aux épices — 70
· Fondue de purée au fromage — 72
· Crème polaire aux icebergs de curaçao — 74
· Mousse au chocolat blanc — 76
· Riz au lait de coco sur chips de mangue — 78
· Crémeux de carottes à la cardamome — 80
· Confiture de lait à l'eau de fleur d'oranger — 82
· Crème anglaise à la coque, mouillettes de pain d'épice — 84
· Mille-feuilles de chips de pomme, chantilly à la cannelle — 86
· Fraises au vin d'épices sur lait concentré sucré — 88

Souvenirs fondants

· Foie gras sur pain d'épice et confit d'oignons rouges à la grenadine — 94
· Salade tiède de lentilles aux saucisses poêlées — 96
· Poulet au chocolat — 98
· Bonbons de légumes caramélisés — 100
· Glace aux pépites de pâte à tarte crue — 102
· Fondant au chocolat et sa crème de bananes — 104
· Omelette norvégienne à la glace en petit pot — 106
· Raviolis au chocolat sur coulis de fraises — 108
· Fondue de chocolat aux brochettes de fruits et de guimauve — 110
· Roudoudous géants aux bonbons fondus — 112
· Éruption de vanille glacée sur lac de cola — 114

Souvenirs moelleux

- Cocktail vodka-Malabar   120
- Mousseline de jambon sur champignons de la capitale   122
- Billes de fromage aux épices et aux herbes   124
- Fruits déguisés au foie gras   126
- Babybel panés   128
- Pain perdu au saumon fumé   130
- Gâteau de crêpes salé   132
- Magret de canard à la marmelade d'oranges   134
- Hamburgers de thon au miel et au gingembre   136
- Roulés de veau au jambon cru en résille de réglisse   138
- Pancakes de purée au fromage   140
- Tarte au chocolat en poudre   142
- Tarte au sirop de fraise   144
- Brioche à la confiture et crème fouettée   146
- Tarte au citron meringuée aux marshmallows   148
- Fudges pour le café en bûche de Noël   150
- Semoule au jus de pomme et poêlée de fruits   152
- Forêt verte au sirop de menthe   154

Classement par catégories de plats   156
Index par ingrédients régressifs   158
La genèse du livre   160

Introduction

« La nostalgie est de retour », disait l'autre jour à la télévision un imprésario spécialisé dans les revivals des chanteurs oubliés des années 1980. Le « mal du retour », selon l'étymologie grecque, serait donc de retour. Curieuse aberration... Les romantiques, au XIXe siècle, la cultivaient déjà, pour l'état mélancolique et doux dans lequel elle les plongeait. Dans les années 2000, elle se teinte d'humour et de dérision. On prend la « régression » au second degré... ne serait-ce qu'en l'appelant de ce mot-même, emprunté au vocabulaire psychanalytique. On sait que l'on n'est plus des bébés, mais on joue à faire comme si... ce qui est précisément le propre de l'enfance.

Le sociologue Gérard Mermet résume ainsi le phénomène : « Ces comportements d'enfant se traduisent par une consommation de bonbons très grande, une espèce d'adoration des vieilles séries télévisées des années de l'enfance, par des achats de peluches, de trottinettes plus récemment, ils apprécient aussi souvent les jeux vidéos, le virtuel par rapport au réel, parce que le réel il est difficile, dangereux, menaçant. Pour oublier la dureté de ce monde, ces grands enfants fréquentent aussi les Gloubiboulga Nights rythmées au son des vieux dessins animés des années 80. [...] On cherche finalement à retrouver une enfance qui est considérée comme idéale parce que l'enfance, c'est le moment de l'insouciance, c'est le moment où l'on n'a pas à prendre de décisions. »

Alors, est-ce à dire que les jeunes de cette génération sont tous des Tanguy en puissance, le héros de ce film qui, à 30 ans passés, vit encore chez ses parents ? Que la nostalgie est le contraire de la maturité ? Et qu'elle est réservée aux trentenaires ?

Pour répondre à ces questions, nous ne sommes pas sociologues ni spécialistes en la matière, juste un peu cuisinières (et encore) et un peu littéraires. Or, Marcel Proust n'a pas attendu les Gloubiboulga Nights pour venir y tremper sa madeleine et voir surgir, à cet instant, une sorte de faille spatio-temporelle dans laquelle la sensation de l'identité s'engouffre, se perd et s'interroge. Une faille assez minuscule pour ne durer que le temps d'une bouchée, et assez vaste pour qu'il y consacre 3000 pages et toute sa vie.

À 3 ans, nous battions des mains quand on nous annonçait des crêpes au dîner. À 20 ans, pareil. Alors, aujourd'hui, pourquoi n'aurions-nous pas encore les yeux qui brillent ? Ce qui nous fascine dans l'enfance, ce n'est pas tant le moelleux du giron maternel ou l'apesanteur du rêve que cet émerveillement perpétuel, dont font preuve les enfants, devant le minuscule, l'inédit et le pourquoi-pas. Cet éblouissement devant un gâteau qui monte dans le four parce que de la « levure chimique » (pour ne pas dire magique) entre en réaction sous l'effet de la chaleur, oui, nous espérons bien l'avoir gardé et le garder encore pendant longtemps !

Doit-on accuser Hervé This, le créateur de la gastronomie moléculaire, de tendance régressive parce qu'il a inventé une « machine à faire des plats nouveaux » inspirée du « pianocktail » de Boris Vian ? Ferran Adria, le grand chef catalan d'*El Bulli,* doit-il s'allonger sur le divan parce qu'il met des sucettes à la carte de son restaurant ? Nous n'oserons jamais nous inscrire dans la lignée de ces grands noms : nous ne sommes même pas de vraies cuisinières ! Mais la mousse que produit une boule de glace à la vanille sur une assiette creuse remplie de Coca-Cola, c'est tout bête, mais ça nous fascine. Si, à cette fascination simpliste, s'ajoute le souvenir de notre premier soda, véritable épreuve initiatique (rappelons que, pour les petits, il y a les boissons de petits et les boissons « qui piquent »), nous voilà un peu émues. Et si on arrive à faire évoluer la recette pour que, en plus, ça donne quelque chose d'assez bon, eh bien, voilà une journée qui ne sera pas perdue, bien qu'elle rejoigne cet infini qu'on appelle le passé. Mais s'il nous fallait choisir entre celui-ci et l'infini de l'avenir, aucune hésitation, c'est vers le second que nous sommes prêtes à foncer !

Tout bien réfléchi, peut-être qu'on aurait dû appeler ce livre « Petit recueil de recettes modestes pour gourmets progressifs », finalement…

La fameuse petite madeleine

Extrait de *Du côté de chez Swann,* **premier tome du roman de Marcel Proust** *À la recherche du temps perdu,* **paru en 1913.**

« Je trouve très raisonnable la croyance celtique que les âmes de ceux que nous avons perdus sont captives dans quelque être inférieur, dans une bête, un végétal, une chose inanimée, perdues en effet pour nous jusqu'au jour, qui pour beaucoup ne vient jamais, où nous nous trouvons passer près de l'arbre, entrer en possession de l'objet qui est leur prison. Alors elles tressaillent, nous appellent, et sitôt que nous les avons reconnues, l'enchantement est brisé. Délivrées par nous, elles ont vaincu la mort et reviennent vivre avec nous.

Il en est ainsi de notre passé. C'est peine perdue que nous cherchions à l'évoquer, tous les efforts de notre intelligence sont inutiles. Il est caché hors de son domaine et de sa portée, en quelque objet matériel (en la sensation que nous donnerait cet objet matériel) que nous ne soupçonnons pas. Cet objet, il dépend du hasard que nous le rencontrions avant de mourir, ou que nous ne le rencontrions pas.

Il y avait déjà bien des années que, de Combray, tout ce qui n'était pas le théâtre et le drame de mon coucher, n'existait plus pour moi, quand un jour d'hiver, comme je rentrais à la maison, ma mère, voyant que j'avais froid, me proposa de me faire prendre, contre mon habitude, un peu de thé. Je refusai d'abord et, je

ne sais pourquoi, me ravisai. Elle envoya chercher un de ces gâteaux courts et dodus appelés Petites Madeleines qui semblent avoir été moulés dans la valve rainurée d'une coquille de Saint-Jacques. Et bientôt, machinalement, accablé par la morne journée et la perspective d'un triste lendemain, je portai à mes lèvres une cuillerée du thé où j'avais laissé s'amollir un morceau de madeleine. Mais à l'instant même où la gorgée mêlée des miettes du gâteau toucha mon palais, je tressaillis, attentif à ce qui se passait d'extraordinaire en moi. Un plaisir délicieux m'avait envahi, isolé, sans la notion de sa cause. Il m'avait aussitôt rendu les vicissitudes de la vie indifférentes, ses désastres inoffensifs, sa brièveté illusoire, de la même façon qu'opère l'amour, en me remplissant d'une essence précieuse : ou plutôt cette essence n'était pas en moi, elle était moi. J'avais cessé de me sentir médiocre, contingent, mortel. D'où avait pu me venir cette puissante joie ? Je sentais qu'elle était liée au goût du thé et du gâteau, mais qu'elle le dépassait infiniment, ne devait pas être de même nature. D'où venait-elle ? Que signifiait-elle ? Où l'appréhender ? Je bois une seconde gorgée où je ne trouve rien de plus que dans la première, une troisième qui m'apporte un peu moins que la seconde. Il est temps que je m'arrête, la vertu du breuvage semble diminuer. Il est clair que la vérité que je cherche n'est pas en lui, mais en moi. [...]

Certes, ce qui palpite ainsi au fond de moi, ce doit être l'image, le souvenir visuel, qui, lié à cette saveur, tente de la suivre jusqu'à moi. Mais il se débat trop loin, trop confusément ; à peine si je perçois le reflet neutre où se confond l'insaisissable tourbillon des couleurs remuées ; mais je ne peux distinguer la forme, lui demander,

comme au seul interprète possible, de me traduire le témoignage de sa contemporaine, de son inséparable compagne, la saveur, lui demander de m'apprendre de quelle circonstance particulière, de quelle époque du passé il s'agit. Arrivera-t-il jusqu'à la surface de ma claire conscience, ce souvenir, l'instant ancien que l'attraction d'un instant identique est venue de si loin solliciter, émouvoir, soulever tout au fond de moi ? Je ne sais. Maintenant je ne sens plus rien, il est arrêté, redescendu peut-être ; qui sait s'il remontera jamais de sa nuit ? Dix fois il me faut recommencer, me pencher vers lui. Et chaque fois la lâcheté qui nous détourne de toute tâche difficile, de toute œuvre importante, m'a conseillé de laisser cela, de boire mon thé en pensant simplement à mes ennuis d'aujourd'hui, à mes désirs de demain qui se laissent remâcher sans peine.

Et tout d'un coup le souvenir m'est apparu. Ce goût, c'était celui du petit morceau de madeleine que le dimanche matin à Combray (parce que ce jour-là je ne sortais pas avant l'heure de la messe), quand j'allais lui dire bonjour dans sa chambre, ma tante Léonie m'offrait après l'avoir trempé dans son infusion de thé ou de tilleul. La vue de la petite madeleine ne m'avait rien rappelé avant que je n'y eusse goûté ; peut-être parce que, en ayant souvent aperçu depuis, sans en manger, sur les tablettes des pâtissiers, leur image avait quitté ces jours de Combray pour se lier à d'autres plus récents ; peut-être parce que, de ces souvenirs abandonnés si longtemps hors de la mémoire, rien ne survivait, tout s'était désagrégé ; les formes — et celle aussi du petit coquillage de pâtisserie, si grassement sensuel sous son plissage sévère et dévot — s'étaient abolies, ou, ensommeillées, avaient perdu la force d'expansion qui leur eût permis de rejoindre la conscience. Mais, quand d'un passé ancien rien ne subsiste, après la mort des êtres, après la destruction des choses, seules, plus frêles mais plus vivaces, plus immatérielles, plus persistantes, plus fidèles, l'odeur et la saveur restent encore longtemps, comme des âmes, à se rappeler, à attendre, à espérer, sur la ruine de tout le reste, à porter sans fléchir, sur leur gouttelette presque impalpable, l'édifice immense du souvenir.

Et dès que j'eus reconnu le goût du morceau de madeleine trempé dans le tilleul que me donnait ma tante (quoique je ne susse pas encore et dusse remettre à bien plus tard de découvrir pourquoi ce souvenir me rendait si heureux), aussitôt la vieille maison grise sur la rue, où était sa chambre, vint comme un décor de théâtre s'appliquer au petit pavillon donnant sur le jardin, qu'on avait construit pour mes parents sur ses derrières (ce pan tronqué que seul j'avais revu jusque-là) ; et avec la maison, la ville, depuis le matin jusqu'au soir et par tous les temps, la Place où on m'envoyait avant déjeuner, les rues où j'allais faire des courses, les chemins qu'on prenait si le temps était beau. Et comme dans ce jeu où les Japonais s'amusent à tremper dans un bol de porcelaine rempli d'eau, de petits morceaux de papier jusque-là indistincts qui, à peine y sont-ils plongés, s'étirent, se contournent, se colorent, se différencient, deviennent des fleurs, des maisons, des personnages consistants et reconnaissables, de même maintenant toutes les fleurs de notre jardin et celles du parc de M. Swann, et les nymphéas de la Vivonne, et les bonnes gens du village et leurs petits logis et l'église et tout Combray et ses environs, tout cela qui prend forme et solidité, est sorti, ville et jardins, de ma tasse de thé. »

À quelle occasion cuisiner régressif ?

La réponse est multiple. Il s'agit à la fois de se faire plaisir et de faire plaisir autour de soi, en mêlant la satisfaction des papilles et celle de la mémoire affective. En gros, la cuisine régressive, ce serait comme un clin d'œil qui se mange…

Voilà six prétextes pour dégainer le tube de lait concentré sucré que vous aviez envie de sucer depuis longtemps, pour ouvrir le pot de confiture qui vous tend les bras ou pour faire des crêpes même si ce n'est pas la Chandeleur.

- Gloubiboulga-party :
  recettes de fêtes en hommage à notre enfance.
- Petits goûters d'automne :
  biscuits et douceurs pour l'heure du thé.
- Plateau télé en solo :
  menu de célibataire qui se chouchoute.
- Cocooning à deux :
  repas d'amoureux de 7 à 77 ans.
- Leçons de choses :
  des plats à faire avec vos enfants.
- Dimanche expérimental :
  recettes de petit chimiste devenu grand
- Dîner de gala gastronomico-ludique :
  des plats qui en jettent.

Gloubiboulga-party

L'an dernier, c'était un bal masqué sur le thème « westerns-spaghettis ». L'année d'avant, un repas entièrement rose (saumon, litchis, pralines et compagnie). Cette fois, vous vous tâtez pour un buffet futuriste. Mais où trouver du bœuf lyophilisé et de la glace en poudre pour cosmonautes ? Faute d'avenir sous la main, misez sur le passé. Vous avez entendu du revival de Chantal Goya auprès des trentenaires. Sans suivre à la lettre la recette de Casimir (on vous le déconseille), pourquoi ne pas entraîner toute la bande dans un grand voyage vers le passé ? Le thème de la soirée est dicté par le livre de Georges Perec *Je me souviens...* Franche rigolade et émotions assurées.

Cocktail vodka-Malabar * (p. 120)

Minipizzas de spaghettis poêlés (p. 32)

Fondue de purée au fromage (p. 72)

Fondue de chocolat aux brochettes de fruits et de guimauve (p. 110)

Mousse au chocolat blanc (p. 76)

Tarte au chocolat en poudre (p. 142)

*

Plateau télé en solo

Non, les envies soudaines et irrépressibles d'avaler une plaque de chocolat tout entière, un litre de glace à la vanille à la petite cuillère ou un paquet de chips « maxi-géant pour toute la famille », alors que justement on n'est pas vraiment en famille, mais plutôt tout seul en face du mur, non, ces envies-là ne sont pas réservées aux boulimiques ou aux anorexiques. Dans les moments de déprime, la nourriture est un baume. Et plutôt celle qui rappelle ces instants de détresse des premiers mois de la vie, détresse comblée par un sein, un biberon ou une petite bouillie. Mais il existe d'autres façons de se repeindre l'âme en rose, y compris en solo : un plateau télé, oui, mais qui a dit qu'il devait être austère ?

Jambon purée chic (p. 68)
Glace aux pépites de pâte à tarte crue (p. 102)
Steak haché géant aux deux lagons bleus (p. 44)
Hamburgers de thon au miel et au gingembre (p. 136)
Éruption de vanille glacée sur lac de cola (p. 114)
Semoule au jus de pomme et poêlée de fruits * (p. 152)

*

Cocooning à deux

Mon petit chou, ma puce, mon doudou, mon bébé, Bidou, Minou, Chouchou… La liste des « petits noms » que s'échangent nombre de couples (adultes !) en dit long sur la coloration régressive que peut prendre une certaine forme de douceur amoureuse. Le couple est parfois une bulle, et la maison *(home sweet home)*, son écrin. Pas étonnant que dans ces maisons-là on mange des « petits plats », comme on dit, « préparés avec amour ». Il y a, en cuisine, les adeptes du jamais-vu, du surprenant, de l'expérimental à tout crin. Et puis il y a des jours où le plat partagé est tout en rondeurs. Un liant de plus, en somme.

Salade tiède de lentilles
aux saucisses poêlées (p. 96)
Boulettes de coquillettes
à la mimolette et au cumin * (p. 30)
Carottes râpées au lait de coco (p. 38)
Travers de porc caramélisés
au ketchup (p. 48)
Gâteau de crêpes salé (p. 132)
Tarte au sirop de fraise (p. 144)

Petits goûters d'automne

Il fait un peu froid. Pas trop encore, mais plus très chaud, pour sûr : l'été, même indien, est révolu. C'est une période de transition. Tout le monde parle de cette fameuse « rentrée », même ceux qui ne sont plus scolarisés depuis longtemps. Dans quoi rentre-t-on ? Dans l'hiver, et souvent dans le souvenirs. « Les bonnes résolutions de la rentrée », dit-on. C'est l'heure des bilans. On rentre aussi dans les maisons, parce qu'il commence à faire froid, on l'a dit, décidément. Bref, l'automne, c'est la saison idéale pour se retrouver autour d'une tasse de thé, entre chien et loup, autour d'un petit goûter qui réchauffe l'âme en même temps que l'estomac. Le goûter, c'est le repas de l'enfance par excellence. Souvenez-vous des Choco-BN, des pains au lait accompagnés d'une barre de chocolat ou autres trésors emballés le matin dans un papier d'aluminium, et plus ou moins écrasés au fond du cartable…

Scones surprises au chocolat blanc (p. 52)
Sablés à la réglisse (p. 54)
Crémeux de carottes à la cardamome (p. 80)
Confiture de lait à l'eau de fleur d'oranger (p. 82)
Brioche à la confiture et crème fouettée (p. 146)
Forêt verte au sirop de menthe * (p. 154)

Leçons de choses

Eh oui, le temps a passé, depuis vos derniers trafics de Carambar, derrière la cabane à outils, au fond de la cour de récré. Maintenant, vous avez vous-même des enfants. Et, bizarrement, ils n'ont pas seulement votre nez pointu et votre talent de dessinateur, mais ils partagent aussi avec vous un goût immodéré pour le chocolat, les caramels mous et les frites à la mayonnaise. C'est le moment de les initier à la cuisine telle que vous rêviez d'en faire à vos parents : drôle, imprévisible, étrange et impressionnante ! Tablier pour tout le monde, et c'est parti pour l'activité pâtisserie. Regardez la tête de vos bambins quand vous leur direz que vous allez cuisiner à partir de bonbons...

Billes de fromage aux épices et aux herbes * (p. 124)
Purée d'avocats au pop-corn (p. 36)
Omelette norvégienne à la glace en petit pot (p. 106)
Roudoudous géants aux bonbons fondus (p. 112)
Fudges pour le café en bûche de Noël (p. 150)
Tarte au citron meringuée aux marshmallows (p. 148)

Dimanche expérimental

Si votre livre préféré, quand vous étiez petit, était (comme nous…), le *Manuel des Castors Juniors,* alors vous allez vous régaler aux fourneaux ! Car la cuisine, c'est aussi le terrain de toutes les expérimentations. Quoi de plus fascinant, comme phénomène chimique, que la simple transformation des blancs d'œufs en neige ? À 3 ans, vous n'en reveniez pas. Et aujourd'hui encore, vous restez admiratifs. C'est le propre de l'enfance que de s'étonner de tout, y compris du brillant de la bave d'une limace ou de la douce harmonie d'un tic-tac de montre. Or, ce regard, vous ne l'avez pas perdu. Ni cette soif d'expérimenter que les grands appellent « jouer ».

Chips de patate douce (p. 34),
de betterave (p. 66),
de pomme (p. 86)
ou de mangue (p. 78)

Bonbons de légumes
caramélisés (p. 100)

Crème polaire
aux icebergs de curaçao (p. 74)

Crème anglaise à la coque,
mouillettes de pain d'épice (p. 84)

Fraises au vin d'épices
sur lait concentré sucré (p. 88)

Raviolis au chocolat
sur coulis de fraises * (p. 108)

Dîner de gala gastronomico-ludique

Rebelle, vous l'avez toujours été un peu. À 2 ans et demi, vous avez décrété que votre friandise préférée était le cornichon, et que rien ne vous détournerait de votre amour pour la glace à la fraise passée au micro-ondes, même quand vous serez grand. Bien. Votre raisonnement est donc le suivant : puisque c'était bon avant, pourquoi pas aujourd'hui ? Vous trouvez donc particulièrement amusant de servir à des invités prestigieux des plats « de grands » savamment élaborés à partir de grenadine ou de rouleau de réglisse. À bas les a priori ! Les mauvaises langues n'auront qu'à tourner sept fois dans leur bouche avant de vous critiquer : tout le plaisir sera pour elles.

Foie gras sur pain d'épice et confit d'oignons rouges à la grenadine (p. 94)

Pain perdu au saumon fumé (p. 130)

Soupe de châtaignes à la réglisse * (p. 64)

Thon en croûte de parmesan à la vinaigrette au poivron (p. 42)

Roulés de veau au jambon cru en résille de réglisse (p. 138)

Fondant au chocolat et sa crème de bananes (p. 104)

*

21

Les ingrédients de l'enfance

Le Nutella

Inventé par un chocolatier-pâtissier italien, Pietro Ferrero, en 1946, l'ancêtre du Nutella, Giandujot, est d'abord un pain de chocolat enveloppé dans une feuille d'étain. En 1949, Ferrero en tire la première pâte à tartiner aux noisettes : Supercrema. En France, elle prend d'abord le nom de Tartinoise, en 1964, pour devenir définitivement Nutella en 1966.

Le Malabar

Réputé pour faire les plus grosses bulles, ce chewing-gum, originellement à l'arôme « tutti frutti », est lancé en 1958 par la société Kréma. Dès l'année suivante, il est emballé dans des vignettes titrées « incroyable mais vrai ». Elles seront illustrées à partir de 1966 et paraîtront sous forme de décalcomanies l'année d'après. Aujourd'hui, il se vend chaque année dans le monde 3 000 tonnes de Malabar.

La réglisse

À l'origine, le bois de réglisse ne servait pas à être mâchouillé par les enfants... mais à fabriquer des baguettes magiques ! Il partage cette noble fonction avec le noisetier, plus connu sous le nom de coudrier. Si son pouvoir magique est aujourd'hui contestable, la plante a de tout temps été considérée comme une sorte de panacée. « Racine douce », selon l'étymologie grecque, elle apaise, rafraîchit, calme la fièvre comme la toux...

Le Babybel

Créé en 1954 par les fromageries Bel, Babybel adopte d'emblée la coque de cire rouge qui lui confère son côté sympathique. C'est le petit frère de La Vache qui Rit, quasi inchangée depuis son lancement, en 1921. Vendue dans plus de quatre-vingt-dix pays, appelée « The Laughing Cow » en Angleterre et au Japon, elle devient vache « joyeuse », dans la traduction russe, et seulement « souriante » en Pologne.

Souvenirs croustillants

Témoignages

Les soirs où ma mère était trop fatiguée pour faire à manger, elle posait tout sur la table et chacun avait le droit de se faire des sandwiches monstrueux. Elle était désolée de ne pas avoir fait la cuisine, mais nous, on était ravis : c'était nos repas préférés !
Didier, 19 ans, pompiste

Mon frère voulait tout le temps manger du canard à l'orange, moi du steak avec de la sauce béarnaise. Mon père, qui n'en pouvait plus, a fini par nous apprendre à faire ces plats. Aujourd'hui encore, on les réussit assez bien.
Évelyne, 46 ans, coiffeuse

Je me souviens de « L'École des fans », que je regardais à la télé chez ma grand-mère. Jacques Martin demandait toujours aux enfants quel était leur plat préféré, ils répondaient toujours des frites ou des pâtes. Je cherchais ce que j'aurais pu dire à leur place pour être plus original, mais finalement j'aurais peut-être répondu la même chose.
Marc, 29 ans, agent immobilier

Quand j'étais petite,
j'allais à la messe avec ma grand-
mère. Au moment de l'eucharistie,
je croyais toujours que le prêtre disait :
« Ceci est mon corps, etc. Mangez en
douce ! » au lieu de « Mangez-en tous ».
Et en plus, hop ! il l'avalait en douce derrière
les manches de sa soutane. Je rêvais de faire
ma communion rien que pour voir quel
goût ça avait, ces fameuses hosties inter-
dites, à manger en cachette.

**Juliette, 55 ans, assistante
de direction**

Le jour où j'ai
mangé des coquilles Saint-
Jacques au chou croquant,
qui ne me faisaient pas du tout
envie et que j'ai trouvées
sublimes, j'ai compris ce que
c'était la cuisine des grands.

**Grégoire, 35 ans,
commercial**

Petits palmiers salés

On les connaît sous forme de biscuits sucrés, avec ces petits grains de sucre tout collés et ces miettes qui s'éparpillent dès que l'on croque dedans. Ils sont également délicieux avec l'apéritif, pourvu qu'on leur invente des fourrages adéquats. Leur forme séduira n'importe qui : saviez-vous que la spirale, ancêtre du labyrinthe, est parmi les formes les plus anciennement tracées par l'espèce humaine ?

Pour 6 personnes

- 1 rouleau de pâte feuilletée
- 1 c. à s. de tapenade
- 1 c. à s. de pesto
- 1 c. à s. de pesto rouge
- 10 g de mimolette râpée

Couper le plus grand carré possible dans la pâte feuilletée (réserver le papier sulfurisé enveloppant la pâte). Couper ce carré en 4 carrés. Tartiner l'un des carrés avec la tapenade, un autre avec le pesto ordinaire, le troisième avec le pesto rouge et saupoudrer ce dernier de mimolette râpée. Rouler le bord de l'un des carrés jusqu'à la moitié, puis faire de même avec le bord opposé. On obtient ainsi un double rouleau qui, une fois coupé en tranches, formera des palmiers. Procéder de la même façon avec les 3 autres carrés de pâte. Les envelopper dans du film alimentaire et les laisser au congélateur pendant 30 min. Préchauffer le four à 180 °C. Sortir les rouleaux du congélateur. Les déballer et les couper en tranches fines. Poser ces tranches sur la feuille de papier sulfurisé ou une plaque à pâtisserie antiadhésive. Faire cuire au four de 10 à 15 min, jusqu'à ce que les petits palmiers soient bien dorés.

Boulettes de coquillettes à la mimolette et au cumin

Pour réussir cette recette, faites exactement ce qu'il ne faut pas faire (n'est-ce pas ce qui attire précisément les enfants ?) : laissez cuire les pâtes un peu trop longtemps. Légèrement collantes, elles n'en formeront que de plus belles boulettes, et cette consistance pâteuse sera transfigurée par un passage à la poêle. Croustillantes de chapelure, elles deviendront de parfaits amuse-gueule pour l'apéritif.

Pour 4 personnes

- 100 g de coquillettes
- 100 g de mimolette râpée
- 4 cl de crème liquide
- 100 g de chapelure
- 1 c. à c. de cumin en poudre
- 3 c. à s. d'huile
- Sel

Faire cuire les coquillettes dans de l'eau bouillante salée (viser plutôt une cuisson un peu longue que al dente). Les égoutter, puis les mélanger avec la mimolette et la crème liquide. Saler. Laisser refroidir pendant 1 h au moins. Mélanger la chapelure et le cumin.
Faire chauffer l'huile dans une poêle sur feu moyen. Former des boulettes avec les coquillettes à la mimolette. Les passer dans la chapelure au cumin. Les poêler jusqu'à ce qu'elles soient bien dorées. Servir immédiatement.

Minipizzas de spaghettis poêlés

Qui n'a connu ce bonheur enfantin des soirs de fatigue où les parents se contentaient de réchauffer les restes à la poêle, un peu pêle-mêle ? Les pâtes réchauffées prenaient ainsi des airs de galettes croustillantes, garnies d'improbables – et parfois délicieux – mélanges. Cette recette s'inscrit au carrefour de trois plats plébiscités par les enfants d'Occident : les biscuits à apéritif, les pizzas et les spaghettis à la sauce tomate. À servir tout chaud, à l'apéritif.

Pour 10 minipizzas

- 100 g de spaghettis
- 50 g de sauce tomate
  (nature, au basilic, aux olives…)
- 50 g de mozzarella
- Huile pour friture
- Sel

En option :
- Du basilic pour la décoration

Faire cuire les spaghettis dans de l'eau bouillante salée, puis les égoutter. Préchauffer le four à 150 °C. Faire chauffer une poêle sur feu vif et y verser de l'huile. Façonner des petites galettes de spaghettis et les faire revenir dans l'huile chaude, par petites quantités. Quand elles sont bien dorées, les égoutter sur du papier absorbant. Continuer jusqu'à ce qu'il n'y ait plus de spaghettis (on obtient 20 galettes environ). Étaler la sauce tomate sur la moitié des galettes. Couper la mozzarella en petites tranches et les poser sur la sauce. Les recouvrir des galettes nature. Cuire au four pendant 5 min environ, jusqu'à ce que le fromage soit fondu. Décorer, éventuellement, avec des feuilles de basilic et servir immédiatement.

Chips de patate douce

Les trois plaisirs du mangeur de chips ? D'abord, on peut faire exploser le paquet comme un pétard. Ensuite, on fait du bruit en les mâchant et ça énerve les voisins de table. Enfin, on a plein de gras et de miettes sur les doigts, avec un bon goût salé qui donne envie de les lécher. Que demander de plus ? De l'originalité ? De l'élégance ? C'est chose faite avec les chips de patate douce : beaucoup plus snob, très goûteux, et avec de si magnifiques petites bulles figées en surface que l'on se résout à peine à les croquer !

Pour 4 personnes

· 1 patate douce
· Huile pour friture
· Sel
En option :
· Sauce au yaourt et aux herbes

Faire chauffer de l'huile dans une friteuse à 180 °C. Peler la patate douce et la couper en tranches le plus finement possible, avec une mandoline, une râpe ou un couteau. Les faire frire en plusieurs fois, pour éviter qu'elles ne se collent entre elles, pendant 3 min environ. Elles doivent être bien dorées. Les égoutter sur du papier absorbant. Laisser refroidir. Les servir avec du sel, éventuellement accompagnées d'une sauce au yaourt et aux herbes, dans laquelle on les trempera.

Purée d'avocats au pop-corn

Si le cours de sciences physiques au collège commençait par une explication du phénomène « pop-corn », nul doute que fleuriraient de nombreux petits Einstein en herbe. Car enfin, existe-t-il de recette plus ludique et plus étonnante que celle, fort simple, de ces grains de maïs sauteurs ? On les proposera ici en guise de chips à tremper dans un faux guacamole.

Pour 4 personnes

- 2 avocats bien mûrs
- 2 poignées de maïs à pop-corn
- 1 citron vert
- 2 petits oignons nouveaux
- Sel et poivre au moulin

En option :

- Si vous aimez les plats relevés,
  ajoutez du tabasco ou du
  piment en poudre

Mettre les grains de maïs dans une casserole avec un couvercle. Poser la casserole sur feu moyen, avec une assiette transparente en guise de couvercle (sinon, où est le plaisir ?). Contempler leur fascinante éclosion, puis retirer la casserole du feu. Émincer les petits oignons. Presser le citron vert. Couper les avocats en deux, ôter le noyau et prélever la chair avec une cuillère. L'écraser à la fourchette avec le jus de citron et l'oignon émincé. Assaisonner suivant votre goût. Servir la purée d'avocats entourée de pop-corn, que chacun y trempera comme s'il s'agissait de tortillas dans du guacamole.

Carottes râpées au lait de coco

Ou comment transformer l'entrée typique des repas de cantine en plat exotique… En bannissant la vinaigrette au profit d'un jus d'agrumes adouci par le lait, on obtient un mélange extrêmement savoureux, qui évoque indéniablement l'enfance, croquant et laiteux, mais avec un je-ne-sais-quoi de sensuel bien adulte.

Pour 2 personnes

- 1 noix de coco
- 300 g de carottes
- 1/2 boîte de lait de coco
  (20 cl)
- 6 brins de coriandre
- Le jus de 1/2 orange
- 2 c. à s. de jus de citron

Ouvrir la noix de coco en deux. Jeter l'eau et racler la chair de chaque demi-noix de coco avec une cuillère à soupe, de façon à en récupérer 4 c. à s. environ. Laver les feuilles de coriandre et les couper en fines lanières, en gardant éventuellement quelques feuilles pour la décoration. Éplucher et râper les carottes. Les mélanger avec le lait de coco, le jus d'orange, le jus de citron, la coriandre et les copeaux de noix de coco. Disposer les carottes dans les demi-coques de noix de coco.

Filet de porc en croûte de cacahuètes

Il paraît que, aux États-Unis, il existe des snacks de viande. Pour les petits creux, à la place d'un bâtonnet de chocolat ou de céréales, hop, un stick de bison ! Si ce filet de porc ne tient pas dans la poche, il revêt pourtant la robe croustillante de ces petites barres du goûter chères aux enfants. Les plus américanisés des lecteurs y retrouveront, en outre, l'incomparable suavité du beurre de cacahuète.

Pour 4 personnes

- 4 tranches de filet de porc de 150 g environ
- 200 g de cacahuètes
- 4 c. à s. de beurre de cacahuète
- 1 œuf
- 20 cl de crème liquide
- 2 c. à c. de moutarde
- 3 c. à s. d'huile
- Sel et poivre au moulin

Mixer ou écraser les cacahuètes, sauf quelques-unes qui serviront pour la décoration. Battre l'œuf avec une fourchette. Passer les tranches de filet de porc dans l'œuf battu, puis dans les cacahuètes. Saler et poivrer. Mettre une poêle à chauffer sur feu moyen. Y verser l'huile. Quand elle est chaude, poser les tranches de viande dans la poêle et les laisser cuire pendant 6 min environ de chaque côté ; elles doivent être bien dorées. Quelques minutes avant la fin de la cuisson, mettre la crème liquide, la moutarde et le beurre de caca-huètes dans une petite casserole. Chauffer sur feu doux jusqu'à ce que le mélange soit homogène. Il ne doit pas bouillir. Servir les tranches de filet de porc avec la sauce et décorer avec les cacahuètes entières réservées.

Thon en croûte de parmesan à la vinaigrette au poivron

Si le Petit Prince avait demandé : « Dessine-moi un poisson ! », l'aviateur aurait-il pu lui tracer un joli parallélépipède ? Pour certains petits citadins — l'anecdote est racontée par nombre d'instituteurs —, poisson rime moins avec « marée » qu'avec « pané ». Cette version chic, à mi-chemin entre le surgelé de collectivité et le sushi branché, se pare d'une arête toute comestible, puisqu'elle est en roquette.

Pour 4 personnes

- 4 filets de thon sans la peau de 120 à 150 g chacun
- 100 g de parmesan râpé
- 1 poivron rouge
- 4 poignées de roquette
- 9 c. à s. d'huile d'olive (3 pour la cuisson et 6 pour la vinaigrette)
- 2 c. à s. de vinaigre balsamique
- 1 œuf

Couper le poivron en deux, éliminer les graines et les parties blanches, puis détailler chaque demi-poivron en morceaux. Les mixer avec 6 c. à s. d'huile et le vinaigre. Disposer la roquette sur les assiettes. Couper les filets de thon en bâtonnets assez larges. Battre l'œuf à la fourchette. Passer les bâtonnets de thon dans l'œuf, puis dans le parmesan râpé. Faire chauffer le reste d'huile dans une poêle sur feu moyen. Y poêler les bâtonnets de thon pendant 1 min de chaque côté. Les poser sur la salade. Servir immédiatement, avec la vinaigrette au poivron à part.

Steak haché géant
aux deux lagons bleus

« Le bifteck, c'est le cœur de la viande, c'est la viande à l'état pur, et quiconque en prend s'assimile la force taurine », analyse Roland Barthes dans *Mythologies*. Alors, que dire d'un steak géant ? Les petits garçons en rêvent, plus que d'épinards, pour devenir forts comme Popeye, ou comme Papa, ce qui revient un peu au même. Celui-ci est surdimensionné, grâce à l'ajout de céréales, avec, comme astuce, les petits cratères où l'on viendra tremper ses bouchées dans une sauce au bleu.

Pour 1 personne

· 150 g de viande de bœuf hachée
· 50 g de fromage bleu
· 30 g de flocons d'avoine
· 1 œuf
· 2 c. à s. de chapelure
· Herbes de Provence
· Huile pour friture
· Sel et poivre au moulin

Mélanger la viande hachée (mieux vaut l'acheter en vrac plutôt qu'en steak, elle se mélangera plus facilement) avec l'œuf et les flocons d'avoine. Assaisonner à volonté de sel, de poivre et d'herbes de Provence. Former une galette « patatoïdale » et y creuser deux petits puits de tailles inégales. Saupoudrer de 1 c. à s. de chapelure. Retourner le steak haché et saupoudrer l'autre côté du reste de chapelure. Couper le fromage en petits cubes. Les faire fondre doucement au four à micro-ondes ou dans une casserole. Faire chauffer une poêle. Y verser un peu d'huile et saisir le steak haché pendant quelques minutes de chaque côté. Verser la sauce dans les deux puits. Servir aussitôt.

Nuggets de poulet à la mimolette, sauce aux petits-suisses

On mélange ici le plaisir de la sortie au Mac Do + celui du fromage orange + celui des petits-suisses, dessert enfantin s'il en est, et que nul adulte de bonne foi serait capable de dénigrer, même s'il n'a pas joué à dérouler son petit rouleau depuis longtemps. À ceci près que les petits-suisses seront ici servis salés, en guise de sauce. Parfaite trempette pour des boulettes croustillantes au cœur fondant de fromage.

Pour 4 personnes (24 nuggets)

- 4 escalopes de poulet
- 100 g de mimolette
- 200 g de poudre d'amandes
- 4 petits-suisses
- 8 c. à s. de mayonnaise
- 1 bouquet de basilic
  ou de menthe
- Huile pour friture
- Sel et poivre au moulin

Mettre de l'huile à chauffer dans une friteuse à 180 °C. Préparer la sauce en mélangeant les petits-suisses, la mayonnaise et le basilic (ou la menthe) ciselé. Couper la mimolette en 24 cubes. Hacher le poulet au mixeur. Saler et poivrer ce hachis. Façonner des boulettes de poulet autour des cubes de mimolette. Les rouler dans la poudre d'amandes. Les plonger dans la friture pendant 4 min. Les égoutter sur du papier absorbant. Servir chaud, avec la sauce aux petits-suisses.

Travers de porc caramélisés au ketchup

D'où vient le ketchup, d'après vous ? Aurait-il été inventé par un fabricant de hamburgers américains ? Pas du tout ! C'est, à l'origine, une sauce piquante chinoise, appelée « ke tsiap », rapportée par des navigateurs anglais au XVIIIe siècle et adaptée au goût occidental par l'ajout de tomates, de champignons et de sucre. Fort appréciée des enfants pour son goût sucré, elle nappe avec bonheur ces travers de porc fort conviviaux : à manger avec les doigts exclusivement !

Pour 4 personnes

- 1 kg de travers de porc
- 20 cl de ketchup
- 1 citron
- 4 c. à s. de miel
- 2 c. à s. de sauce soja
- 2 c. à c. de gingembre en poudre

Couper les travers de porc entre les os, tous les deux os. Les disposer dans un plat à four. Presser le citron. Verser le jus dans un saladier. Ajouter le ketchup, le miel, la sauce soja et le gingembre. Mélanger. Verser cette sauce sur les morceaux de viande, les retourner pour les en enrober sur les deux faces. Laisser mariner pendant 2 h au moins. Préchauffer le four à 200 °C. Faire cuire les travers de porc au four pendant 15 min. Sortir le plat du four, retourner les travers et poursuivre la cuisson pendant 15 min. Sortir à nouveau le plat du four. Régler celui-ci sur la position gril. Quand le gril est chaud, remettre le plat dans le four. Au bout de 3 min, vérifier si les travers sont bien caramélisés. Sinon, les laisser encore un peu. Retourner à nouveau les travers, remettre le plat dans le four et laisser cuire 3 min encore, jusqu'à ce que les travers soient bien caramélisés de l'autre côté. Servir en versant le jus qui est au fond du plat sur la viande.

Frites de patate douce

Quelques restaurants, à New York, s'en font une spécialité : les frites de patate douce, c'est le moelleux de la frite, plus la douceur un peu sucrée de cette patate qui porte si bien son nom. Elles resteront toujours un peu plus molles que les frites de pomme de terre, mais le goût n'a rien à voir. Attention, on en devient vite accro !

Pour 2 personnes

- 1 patate douce
- Huile pour friture
- Mayonnaise
- Sel

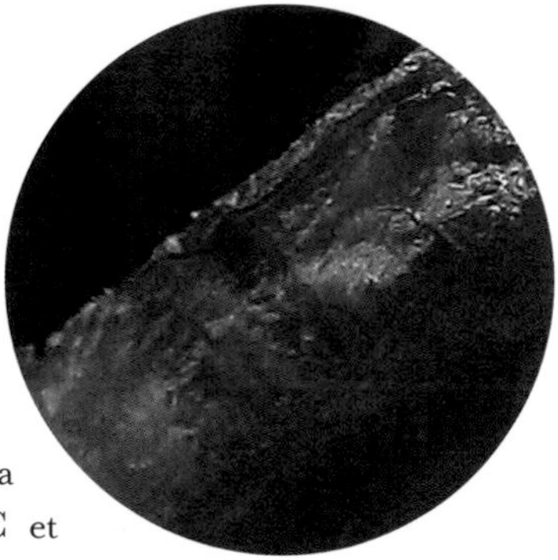

Faire chauffer de l'huile dans une friteuse à 160 °C. Peler la patate douce et la couper en frites. Les essuyer sur du papier absorbant. Baisser la température à 130 °C et les faire frire pendant 3 min environ ; elles ne doivent pas trop dorer. Retirer les frites de la friteuse. Monter la température à 180 °C et remettre les frites à cuire pendant 1 min environ.
Servir bien chaud, saupoudré de sel et avec la mayonnaise à part.

Scones surprises au chocolat blanc

Les plus britanniques d'entre nous se souviendront toujours de leur grand-mère, levée dès potron-minet pour préparer des scones à l'odeur enchanteresse, capable de tirer du sommeil les loirs de 7 à 77 ans. Les autres y associeront des souvenirs de biscuits maison, roulés à la main avec un tablier plus grand qu'eux. Ceux-ci, en plus d'être croquants à souhait, recèlent un petit trésor : du chocolat blanc fondu en leur sein.

Pour 20 scones

- 150 g de chocolat blanc aux noisettes
- 100 g de beurre
- 90 g de sucre en poudre
- 240 g de farine
- 2 c. à c. de levure chimique
- 1 œuf + 1 jaune (facultatif)
- 1 c. à s. d'eau de fleur d'oranger
- 1 pincée de sel

Faire ramollir le beurre. Lui ajouter le sucre, la farine, la levure, le sel, l'œuf et l'eau de fleur d'oranger. Pétrir jusqu'à obtenir une boule de pâte sablée. Concasser le chocolat blanc, pour obtenir une vingtaine de morceaux de taille identique. Préchauffer le four à 175 °C. Former 20 scones avec les doigts : prélever des petites portions de pâte, les aplatir en galettes, déposer sur chacune d'elles 1 morceau de chocolat blanc aux noisettes, replier les bords des galettes et rouler chaque boule entre les paumes. Déposer les petites boules sur une plaque à pâtisserie recouverte de papier sulfurisé. Badigeonner, éventuellement, la surface des scones de jaune d'œuf et les faire cuire au four pendant 20 min.

Sablés à la réglisse

Difficile de cuisiner avec des rouleaux de réglisse. Les amateurs le savent bien, eux qui passent des heures à torturer les rouleaux avant de venir à bout de leur écheveau élastique : leur fil, solide, ne fond pas vraiment, pas plus qu'il ne se rompt facilement. Fichés dans leur posture favorite (la spirale), dans une pâte à biscuits, ils présentent l'avantage de résister bravement à la chaleur du four : mieux vaut les utiliser à des fins ornementales que tenter de les dissoudre de force.

Pour 12 biscuits

- 6 rouleaux de réglisse
- 65 g de beurre
- 125 g de farine
- 100 g de sucre en poudre
- 2 à 3 cl d'eau

Préchauffer le four à 180 °C. Ramollir le beurre. Mélanger le beurre mou, la farine et le sucre avec les doigts. Ajouter de l'eau, si nécessaire, pour former une pâte homogène. Étaler la pâte et y découper 12 disques, avec un emporte-pièce ou un verre retourné. Les poser sur une plaque à pâtisserie antiadhésive ou sur du papier sulfurisé. Dérouler les rouleaux de réglisse et les couper en deux. Poser un demi-rouleau de réglisse sur chaque gâteau, en appuyant pour qu'il s'enfonce un peu. Faire cuire au four de 15 à 20 min, jusqu'à ce que les sablés soient dorés. Laisser refroidir avant de déguster.

Souvenirs crémeux

Témoignages

Une copine qui faisait l'école hôtelière nous avait invités à manger chez ses parents. Elle a failli mettre le feu à la cuisine avec l'huile de friture, ses choux à la crème sont restés tout plats… On a fini par manger un bol de chantilly, qu'elle avait très bien réussie. Heureusement, elle se destinait à la gestion, et en plus elle a épousé un chef.
Karen, vendeuse, 28 ans

Quand j'étais petit, je ne voulais pas manger de poisson. Pour m'en faire avaler quand même, ma mère me le faisait manger avec du yaourt aux myrtilles. Beurk !
Étienne, 24 ans, téléconseiller

Un jour, une copine de classe m'a demandé ce que serait pour moi l'image de la liberté, et je lui ai répondu : croquer à pleines dents dans un camembert. Je m'étais promis que je le ferais un jour, plus tard, quand je serais grande. Je n'ai pas encore essayé…
Sonia, 39 ans, professeur de tennis

Quand j'étais à l'école primaire, je trouvais tellement injuste que les adultes aient droit à un plateau de fromages, à la cantine, que j'avais fait signer une pétition à mes copains pour réclamer la même chose ! Mais ça les avait fait juste bien rire.

Emma, 43 ans, projectionniste

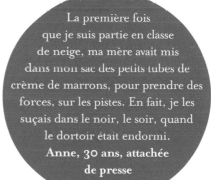

La première fois que je suis partie en classe de neige, ma mère avait mis dans mon sac des petits tubes de crème de marrons, pour prendre des forces, sur les pistes. En fait, je les suçais dans le noir, le soir, quand le dortoir était endormi.

Anne, 30 ans, attachée de presse

Feuilletés à la bovine hilare

Voyons, réfléchissez : quelles étaient vos vaches préférées quand vous étiez petits ? Probablement Marguerite ou Blanchette, celle du pré voisin, pendant vos vacances à la campagne. Et puis la Noiraude, celle qui appelait son médecin dans « L'Île aux enfants » (« Allô, docteur, c'est la Noiraude ! »). Enfin, certainement la petite triangulaire, avec son grand sourire, dont l'image, sur les boîtes rondes, se répétait à l'infini, en une mise en abyme plus communément appelée… « l'effet Vache qui Rit » ! Nous y voilà donc. Même masquée sous ta croûte de pâte feuilletée, on t'a reconnue, sacrée crème de gruyère…

Pour 4 personnes

- 2 rouleaux de pâte feuilletée
- 8 portions de crème de gruyère (type Vache qui Rit)
- 150 à 200 g de salade verte
- 20 brins de ciboulette
- 10 feuilles de menthe
- 1 jaune d'œuf
- 2 c. à s. de vinaigre
- 2 c. à c. de moutarde
- 6 c. à s. d'huile de noix ou de noisette
- Sel

Préchauffer le four à 200 °C. Préparer la vinaigrette en mélangeant le vinaigre, la moutarde et du sel, puis en ajoutant l'huile. Ciseler les herbes. Poser une portion de crème de gruyère sur la pâte feuilletée, pour y découper 8 triangles de la taille de la portion de fromage, puis 8 autres triangles plus grands de 1 cm que la portion de fromage. Poser chaque portion de fromage sur un triangle de pâte de la même taille et poser les triangles plus grands sur le fromage. Bien sceller les bords des feuilletés avec les doigts, pour que le fromage ne s'échappe pas pendant la cuisson. Dorer le dessus de chaque feuilleté, au pinceau, avec le jaune d'œuf. Cuire au four pendant 10 min. Mélanger la salade et la vinaigrette. Dresser la salade sur les assiettes. Répartir les herbes dessus. Poser les feuilletés chauds sur la salade et servir immédiatement.

Soupe tomate-orange aux petites lettres

Ancêtre du tableau blanc aux lettres magnétiques où s'ébauche le B.A.-BA de l'écriture, la soupe aux petites lettres, c'est l'émerveillement de voir son propre nom dilué dans les poireaux, émergeant des pommes de terre, ou brouillé de mille autres mots possibles sur fond de carottes bouillies. Servez-en à des adultes et la magie fonctionnera à nouveau : tous mettront de côté, comme distraitement, ces morceaux d'alphabet pour s'en faire une petite formule, moitié rédigée sciemment, moitié née du hasard.

Pour 4 personnes

- 100 g de pâtes en petites lettres
- 1 kg de tomates
- 2 oranges
- 1 oignon
- 2 gousses d'ail
- 2 c. à s. d'huile d'olive
- 1 c. à c. de sucre en poudre
- Sel et poivre au moulin
En option :
- Quelques tomates cerises
  pour la décoration

Émincer l'oignon et l'ail. Couper les tomates en quartiers. Presser les oranges. Faire chauffer l'huile dans une casserole sur feu moyen. Y faire revenir l'oignon et l'ail. Au bout de 5 min, ajouter les quartiers de tomate, du sel, du poivre et le sucre. Couvrir et laisser mijoter pendant 15 min. Mixer le tout avec le jus d'orange. Faire cuire les pâtes dans de l'eau bouillante pendant 5 min. Les égoutter. Faire réchauffer doucement la soupe. Servir dans des bols et parsemer de petites lettres.

Soupe de châtaignes à la réglisse

« Mange ta soupe, ça fait grandir ! » On n'y croyait pas tous les soirs, surtout quand les poireaux faisaient des fils ou quand on boudait les morceaux, mais on finissait bien par s'emparer des deux oreilles du bol pour s'y engloutir jusqu'aux siennes (d'oreilles). Peut-être que le supplice aurait été plus doux si l'on s'était avisé, comme ici, de parfumer des légumes d'automne de cette curieuse petite plaque de réglisse que l'on appelle le Zan… En tout cas, une association étonnante et savoureuse.

Pour 4 personnes

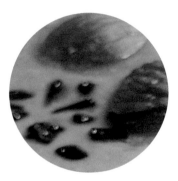

- 360 à 400 g de châtaignes en conserve ou surgelées
- 1 oignon rouge
- 200 g de champignons de Paris
- 1 morceau de Zan de 1 cm^2 environ
- 50 cl de bouillon de légumes (en cube)
- 10 cl de crème liquide
- 2 noix de beurre
- Sel et poivre au moulin

Émincer l'oignon et les champignons. Les faire revenir dans le beurre pendant 5 min. Ajouter le bouillon et les châtaignes, saler, poivrer et faire cuire pendant 20 min environ. Cinq minutes avant la fin de la cuisson, mettre la crème liquide dans une petite casserole avec le Zan et faire chauffer jusqu'à ce que le Zan soit fondu et incorporé dans la crème. Mixer les 2 préparations ensemble. Si la soupe est un peu épaisse, ajouter de l'eau. Goûter et rectifier l'assaisonnement. Au moment de servir, réchauffer doucement la soupe.

Velouté de chou-fleur aux chips de betterave

De même qu'il faut au moins le mythe de Popeye pour faire avaler des épinards, il faut généralement aux enfants leur poids de béchamel pour qu'ils acceptent d'ingérer du chou-fleur. Cette version toute douce ravira les plus réfractaires : l'odeur et le goût du chou sont miraculeusement absorbés par ceux du lait de coco et les chips de betterave offrent un contrepoint croustillant d'une si belle couleur que l'on passerait des heures à les regarder en transparence, devant l'ampoule de la cuisine... en oubliant de finir sa soupe.

Pour 4 personnes

- 1 petit chou-fleur
- 2 petites escalopes de poulet
- 1 boîte de lait de coco (40 cl)
- 50 cl de bouillon de volaille (en cube)
- 1 betterave cuite
- Huile pour friture
- Sel et poivre au moulin

Faire chauffer de l'huile dans une friteuse à 180 °C. Émincer la betterave en lamelles aussi fines que possible. Faire frire celles-ci pendant 3 min environ et les égoutter sur du papier absorbant. Laver le chou-fleur et le détailler en bouquets. Les faire cuire dans le bouillon pendant 15 min. Les égoutter, les mixer et mélanger avec le lait de coco. Faire réchauffer le velouté sur feu doux. Pendant ce temps, faire cuire le poulet à la poêle avec un peu d'huile, à feu très doux, pour éviter toute coloration. Lorsque les escalopes sont cuites, les mixer et assaisonner. Servir le velouté parsemé de poulet haché (blanc sur blanc, il se verra à peine, mais sa consistance grumeleuse se marie bien avec le velouté lisse et onctueux) et accompagné des chips de betterave.

Jambon purée chic

C'est **LE** plat de l'enfance par excellence : la purée de pommes de terre, maison ou Mousline, et le jambon mouliné. **Nombre de restaurants, branchés ou traditionnels, en proposent des variantes parées de qualificatifs jouant la carte de la simplicité** : « purée à l'huile vierge », « au naturel ». **Celle-ci, hautement rehaussée par l'ajout de parmesan et de basilic, s'habille de jambon cru pour un** « relooking » **résolument chic. Enfants s'abstenir, SVP.**

Pour 4 personnes

- 1 kg de pommes de terre à purée
- 20 feuilles de basilic
- 100 g de parmesan entier
- 12 tranches de jambon cru
  (de Parme, de San Daniele,
  de Bayonne, serrano…)
- 8 c. à s. d'huile d'olive
- 1 c. à c. de sel

Peler les pommes de terre. Les faire cuire dans une casserole d'eau salée de 20 à 30 min, jusqu'à ce que la pointe d'un couteau pénètre facilement dans la chair. Égoutter les pommes de terre, les remettre dans la casserole avec l'huile et les écraser avec un presse-purée ou, à défaut, une fourchette. Au moment de servir, ciseler les feuilles de basilic — sauf 4, qui serviront pour la décoration — et faire des copeaux de parmesan avec un épluche-légumes. Réchauffer doucement la purée avec le basilic ciselé et les 2/3 des copeaux de parmesan. Dresser 3 tranches de jambon sur chaque assiette, avec de la purée, 1 feuille de basilic et des copeaux de parmesan.

Petites purées aux épices

Comme les séries de yaourts aux couleurs variées, au choix, un assortiment de petites purées épicées qui raviront moins les gencives sans dent des nourrissons que les palais des adultes raffinés.

Purée de brocolis au curry
Pour 4 personnes

- 1 kg de brocolis
- 10 cl de crème liquide
- 1 c. à c. de curry
- Sel et poivre au moulin

Nettoyer les brocolis et prélever les têtes. Les faire cuire dans de l'eau bouillante pendant 5 min. Les égoutter. Les écraser avec la crème liquide, au presse-purée, au mixeur ou avec une fourchette. Saler, poivrer, saupoudrer de curry et servir.

Purée de céleri au paprika
Pour 4 personnes

- 750 g de céleri-rave pelé
- 20 g de beurre
- 1 c. à c. de paprika
- Sel et poivre au moulin

Couper le céleri-rave en cubes. Les faire cuire dans de l'eau bouillante pendant 30 min. Les égoutter. Les écraser avec le beurre, au presse-purée, au mixeur ou avec une fourchette. Saler, poivrer, saupoudrer de paprika et servir.

Purée de carottes au cumin
Pour 4 personnes

- 750 g de carottes
- 10 cl de crème liquide
- 1 c. à c. de cumin en poudre
- Sel et poivre au moulin

Peler les carottes. Les faire cuire dans de l'eau bouillante pendant 25 min. Les égoutter. Les écraser avec la crème liquide, au presse-purée, au mixeur ou avec une fourchette. Saler, poivrer, saupoudrer de cumin et servir.

Fondue de purée au fromage

L'idée est simple, direz-vous, et pourtant, invitez vos amis à une soirée « fondue de purée » et vous ne serez pas déçu par l'ambiance chaleureuse. Moins lourde à digérer que la fondue savoyarde, et pourtant imprégnée de fromage à souhait, moins grasse que la fondue bourguignonne, mais à base de viande tout de même, elle emprunte au meilleur des deux : les batailles de piques dans le pot commun et les gages pour le perdant !

Pour 4 personnes

- 800 g de bœuf pour fondue
- 125 g de flocons de purée
- 200 g d'emmental râpé
- 50 cl de lait
- 25 cl d'eau
- 2 œufs
- Huile
- Sel et poivre au moulin

Porter le lait et l'eau à ébullition dans une casserole. Y verser les flocons de purée en pluie et remuer, pour éviter la formation de grumeaux. Quand la purée est bien homogène, baisser le feu, ajouter l'emmental, les œufs, saler et poivrer, mélanger à nouveau et laisser chauffer pendant quelques minutes. Réserver au chaud sur un réchaud à fondue ou sur un chauffe-plat. Couper le bœuf en cubes de 2 cm environ de côté. Faire chauffer l'huile dans une poêle sur feu vif. Saler et poivrer les morceaux de bœuf et les faire cuire suivant le goût des convives. Poser la purée sur la table en la laissant sur le réchaud ou le chauffe-plat. Servir la viande, que chacun trempera dans la purée.

Crème polaire aux icebergs de curaçao

Quel est le contraire d'un oiseau jaune perché sur une branche noire ? Vous vous souvenez de ce genre de petits jeux, dans la cour de récré ? Alors, quel est l'inverse de la crème brûlée ? La crème renversée ? Perdu ! La crème polaire, qui est aussi un peu l'inverse de la crème solaire. Et le contraire du bleu ? L'orange, bien sûr. Inspirées par ces devinettes ubuesques, nous avons mis au point une crème « bleue comme une orange », comme dans le poème d'Eluard.

Pour 2 personnes

- 1/2 orange
- 25 cl de lait
- 3 jaunes d'œufs
- 50 g de sucre en poudre
- 1 c. à c. d'eau de fleur d'oranger
- 2 c. à s. de curaçao bleu
  + 5 cl pour la décoration
- 3 c. à s. de Maïzena
- 20 g de sucre glace

Râper le zeste de la demi-orange le plus finement possible. Faire chauffer douce-ment le lait dans une casserole, en en réservant 3 c. à s. dans une soucoupe. Verser le zeste râpé dans la casserole. Aux premiers bouillons, éteindre le feu et laisser infuser à couvert. Battre les jaunes d'œufs avec le sucre en poudre, dans une jatte, jusqu'à obtention d'un mélange mousseux. Incorporer l'eau de fleur d'oranger, puis verser le mélange dans la casserole. Délayer la Maïzena dans la soucoupe de lait froid et l'ajouter au contenu de la casserole. Fouetter la préparation et faire épaissir sur feu doux pendant 15 min. Quand la consistance est adéquate, verser la crème dans des ramequins et laisser prendre au réfrigérateur pendant 2 h au moins. Pour la décoration, dissoudre le sucre glace dans 5 cl de curaçao, dans une casserole. Faire chauffer jusqu'à obtenir un sirop très épais. Le verser sur du papier sulfurisé pour qu'il durcisse. Attendre que les cristaux soient refroidis et solidifiés pour les manier, et les planter dans la crème au dernier moment. Enfin, sur la photo, nous avons un peu triché sur la consistance : pour obtenir une surface bien lisse et légèrement mousseuse, nous avons ajouté une fine couche de crème fouettée bleuie au curaçao.

Mousse au chocolat blanc

Si quelqu'un autour de vous n'aime pas ce dessert, écrivez-nous : on vous rembourse les ingrédients ! Fruit de nombreuses expérimentations, pour aboutir à la consistance dense et mousseuse dont nous rêvions et au goût inaltéré du chocolat blanc, elle fut, à l'origine, inventée par un personnage de roman, qui y avait ajouté 1 c. à s. de crème de whisky (type Bailey's Irish Cream). On l'a testé pour de vrai : très bon aussi.

Pour 4 personnes

- 150 g de chocolat blanc
- 20 cl de crème liquide
- 1 feuille de gélatine
- 1 œuf
- 20 g de sucre en poudre
- 5 cl de lait

Faire tremper la feuille de gélatine dans une assiette d'eau froide pour la faire ramollir. Séparer le jaune d'œuf du blanc. Verser le jaune dans une casserole. Ajouter le sucre et le lait. Faire cuire sur feu très doux en tournant jusqu'à épaississement. Verser le mélange dans une jatte. Casser le chocolat blanc en morceaux. Les faire fondre au four à micro-ondes ou dans une casserole. Incorporer le chocolat fondu au mélange. Faire dissoudre la feuille de gélatine ramollie dans 1 c. à s. d'eau chaude. L'incorporer au mélange. Battre la crème liquide en chantilly, et le blanc d'œuf, en neige. Les incorporer délicatement au mélange. Verser la mousse dans un plat ou dans des ramequins et laisser prendre au réfrigérateur pendant une nuit. Passé ce délai, la mousse sera devenue dense et ferme, au point que le plat pourra être retourné sans qu'elle bouge d'un pouce.

Riz au lait de coco
sur chips de mangue

Le riz au lait de coco, ça sonne un peu comme l'interminable comptine des « trois petits chapeaux de paillasson'mnambule tintamarabout de ficelle de cheval de Troie… », avec un look évoquant *Maman, les p'tits bateaux*. L'idée est simple : faire cuire le riz rond dans le lait de coco, plutôt que dans du lait de vache, et allier cette consistance crémeuse à celle, croustillante, des chips de mangue. Enfin, la lanière de mangue crue ajoute une note fruitée très agréable.

Pour 2 personnes

- 50 g de riz rond
- 10 cl de lait de coco
- 10 cl de lait
- 1 mangue
- 10 g de sucre en poudre
- 1 gousse de vanille
- Huile pour friture

Faire chauffer de l'huile dans une friteuse à 180 °C. Peler la mangue et la couper en 12 tranches très fines, avec une mandoline, une râpe ou un couteau, en réservant un petit morceau pour la décoration. Faire frire les tranches de mangue en deux fois, pour éviter qu'elles ne se collent entre elles, pendant 3 min 30 environ. Elles doivent être bien dorées. Les égoutter sur du papier absorbant. Laisser refroidir. Mettre le riz, le lait de coco, le lait, le sucre et la gousse de vanille fendue en deux dans la longueur dans une casserole. Faire cuire sur feu doux de 20 à 30 min, jusqu'à ce que le liquide soit absorbé et que le riz soit moelleux. Retirer la gousse de vanille. Laisser tiédir ou refroidir, suivant votre goût. Servir sur les chips de mangue, avec une petite lanière de mangue crue et un morceau de vanille.

Crémeux de carottes
à la cardamome

Qui aurait cru que l'on pouvait obtenir une consistance de porridge à partir de carottes râpées ? Cette recette en fait pourtant la démonstration : elle rappelle la molle tiédeur des bouillies primitives, avec une saveur orientale (pistaches et cardamome) qui évoquerait plutôt les lassis et les desserts indiens. Un régal pour les goûters d'hiver.

Pour 2 personnes

- 33 cl de lait entier
- 1 carotte
- 1 banane
- 15 g de raisins secs
- 40 g de sucre en poudre
- 1 pincée de cannelle moulue
- 2 capsules de cardamome
- 5 cl de crème liquide
- 1 c. à s. de pistaches non salées

Verser le lait dans une casserole et porter à ébullition.
Baisser le feu et laisser réduire de moitié sur feu très doux
pendant 30 min environ, en remuant fréquemment pour éviter qu'il n'attache. Pendant ce temps, peler et râper la carotte ; couper la banane en rondelles. Verser la carotte, la banane et les raisins secs dans le lait épaissi et laisser cuire encore pendant 15 min. Ajouter le sucre, la cannelle, la cardamome et la crème liquide. Tourner jusqu'à dissolution complète du sucre, puis verser la préparation dans deux bols. Déguster tiède, parsemé de pistaches hachées.

Confiture de lait à l'eau
de fleur d'oranger

Douceur sucrée originaire d'Espagne, la *dulce de leche* **se prépare traditionnellement avec du lait entier, que l'on fait réduire à petit feu de 5 à 6 h. Le truc de certaines cuisinières de là-bas ? Ajouter des billes en verre dans la casserole de lait, pour éviter qu'il n'attache. Mais c'est tout de même une recette de longue haleine. En voici une variante express, ou presque, pas très orthodoxe, mais qui « marche » bien quand même.
À déguster avec le doigt exclusivement !**

Pour 1 bocal

· 1 boîte de lait concentré sucré
· 3 c. à s. d'eau de fleur d'oranger

Verser le lait concentré dans une casserole antiadhésive. Laisser cuire sur feu doux pendant 1 h,
en remuant fréquemment pour éviter que le lait
n'attache. Cependant, on ne doit pas être surpris ou
déçu : le lait va forcément faire des grumeaux bruns, c'est
normal. Il faut faire avec (ils disparaîtront ensuite comme par magie). La seule
chose importante à surveiller, c'est la consistance de la confiture. Pas assez cuite,
elle restera liquide, voire un peu caoutchouteuse. Trop cuite, elle sera épaisse,
collante, voire grumeleuse. Il faut, donc, goûter souvent et interrompre la cuisson quand le mélange semble onctueux à souhait. Ensuite, le truc qui arrange
tout, c'est de passer la confiture au mixeur avec l'eau de fleur d'oranger, qui, en
plus de la parfumer, garantira sa texture lisse.

Crème anglaise à la coque, mouillettes de pain d'épice

La présentation a des allures de blague, mais elle n'est pas complètement vaine, puisque le jaune des œufs a servi à faire la crème anglaise et que le brick des nids peut être picorée et trempée dans la sauce, en plus des mouillettes. En tout cas, le rapport difficulté/effet rendu est excellent.

Pour 4 personnes

- 5 œufs
- 4 tranches de pain d'épice
- 4 feuilles de brick
- 50 g de sucre en poudre
- 75 cl de lait
- 2 noix de beurre
- Sucre glace

Couper délicatement le chapeau de 4 œufs et les vider à travers les doigts pour récupérer les jaunes. Les fouetter avec le sucre jusqu'à ce que le mélange gonfle et blanchisse. Faire bouillir 50 cl de lait. Le verser doucement sur les jaunes d'œufs, en fouettant constamment. Remettre ce mélange sur feu doux et laisser épaissir en remuant avec une cuillère en bois. Retirer du feu dès que le mélange nappe le dos de la cuillère. Laisser refroidir. Mettre au réfrigérateur, s'il est préparé à l'avance. Pour confectionner les nids, préchauffer le four à 175 °C. Découper 1 feuille de brick en spirale, pour former une très longue lanière. Emmêler cette lanière pour constituer un nid. Répéter l'opération avec les 3 feuilles de brick restantes. Poser les nids sur une plaque à pâtisserie et les faire cuire au four pendant 5 min environ. Ils doivent être légèrement dorés et bien rigides. Sortir la plaque du four et saupoudrer les nids de sucre glace. Au moment de servir, garnir les 4 coquilles d'œuf de la crème anglaise. Casser l'œuf restant et le battre à la fourchette. Couper les tranches de pain d'épice en mouillettes. Les tremper dans le lait restant et les passer dans l'œuf. Faire chauffer le beurre sur feu doux et y faire dorer les mouillettes. Verser la crème dans les coquilles, posées sur les nids de brick.

Mille-feuilles de chips de pomme, chantilly à la cannelle

Selon les traditions familiales, il y a les souvenirs de crème fouettée maison, les deux mains agrippées au batteur électrique gigantesque et vrombissant, sous l'œil du « grand », qui n'empêchera tout de même pas la crème de venir consteller la cuisine d'éclaboussures blanches, ou le souvenir de la crème en bombe, planquée dans le réfrigérateur, que l'on vient téter en catimini et qui remplit soudain la bouche d'une mousse à l'expansion incontrôlable. La chantilly, sur les glaces ou les pâtisseries, c'est une matière qui a quelque chose à voir avec l'excès : du lait qui prendrait du volume, en même temps qu'une densité, quelque chose **d'énorme et qui pourtant fond dans la bouche, comme la neige.**

Pour 2 personnes

- 2 pommes bien fermes
- 20 cl de crème liquide
- 20 g de sucre glace
- 1 c. à c. de cannelle moulue
- Huile pour friture

Faire chauffer de l'huile dans une friteuse à 180 °C. Couper les pommes, sans les peler, en 18 tranches très fines, avec une mandoline, une râpe ou un couteau. Les faire frire en deux fois, pour éviter qu'elles ne se collent entre elles, pendant 3 min 30 environ. Elles doivent être dorées. Les égoutter sur du papier absorbant. Laisser refroidir. Fouetter la crème liquide, avec le sucre glace et la cannelle, en chantilly. Former 6 mille-feuilles, composés chacun de 3 tranches de pomme frites alternées avec 2 couches de crème Chantilly.

Fraises au vin d'épices
sur lait concentré sucré

Entre les fraises au vin et les fraises à la crème sucrée, n'hésitez plus : voici la recette à mi-chemin. Le principe est celui des cocktails à étages : le liquide le plus lourd tombe au fond et le fruit flotte à la surface, pour le plus grand plaisir des yeux, quand le lait forme des petits filaments au contact du vin et que la peau granuleuse de la fraise apparaît à peine, fantomatique à travers le liquide foncé, derrière le verre qui fait loupe.

Pour 2 personnes
- 4 fraises
- 4 c. à s. de lait concentré sucré
- 20 cl de vin rouge
- 1 petit bâton de cannelle
- 1 clou de girofle
- 1 pincée de noix muscade râpée
- 2 c. à s. de sucre en poudre

Verser le vin dans une casserole. Y jeter la cannelle, le clou de girofle et la noix muscade. Chauffer sur feu doux jusqu'aux premiers frémissements, ajouter le sucre, bien mélanger pour le dissoudre, puis éteindre le feu et laisser infuser, à couvert, jusqu'à complet refroidissement. Laver et équeuter les fraises. Au moment de servir, verser 1 c. à s. de lait concentré sucré (ou un peu plus, au choix) dans quatre petits verres. Filtrer le vin et le répartir dans les verres, en le versant délicatement. Ajouter 1 fraise dans chaque verre. Servir deux petits verres par personne. On peut déguster en savourant chaque couche ou en brassant le tout, au choix.

Souvenirs fondants

Témoignages

Mes meilleurs souvenirs de repas de famille, ce sont les fondues savoyardes, quand on partait au ski. On inventait des gages, tout le monde était un peu ivre, même les enfants, à cause du vin blanc dans le fromage, ou à cause de l'odeur d'alcool à brûler… Je ne sais plus, mais c'était des soirées vraiment pas comme les autres.
Anne-Laure, 37 ans, chef de produit

Je me souviens des cours de cuisine en EMT, au collège. On avait trouvé un gisement de sachets de sucre vanillé dans une armoire et on les aspirait sous la table, en cachette, comme si c'était de la dope.
Éric, 30 ans, ingénieur

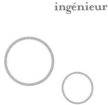

Pour l'anniversaire d'un copain qui était fou de Casimir, on avait décidé de lui préparer un gloubiboulga géant, avec du chocolat, de la moutarde, des bananes, de la confiture et des saucisses de Strasbourg, je crois. Sa mère est arrivée dans la cuisine, elle a hurlé et tout jeté à la poubelle !
Stéphane, 34 ans, avocat

Avec mes cousins, on partait ensemble en vacances tous les ans. Et tous les ans, on décidait d'organiser un festin secret, qui se déroulerait à minuit. Pendant une semaine, on stockait les bonbons qu'on achetait avec notre argent de poche. Eh bien, pendant toutes ces années, pas une seule fois on n'a réussi à se réveiller à minuit ! On mangeait toujours piteusement nos friandises le lendemain.

Géraldine, 23 ans, étudiante

Je suis parti une fois dans une colo sur le thème des Robinson : on devait tout fabriquer nous-mêmes, cueillir des fruits, pêcher des poissons, et tout… C'est là que j'ai découvert les baies de sureau au feu de bois ; on les faisait chauffer en tenant le rameau au-dessus du feu, jusqu'à ce que les grains éclatent, et on les roulait dans le sucre. Tiens, je me demande où on trouvait du sucre…

Xavier, 28 ans, journaliste

Foie gras sur pain d'épice et confit d'oignons rouges à la grenadine

Il n'y a pas plus puéril que la grenadine, et pas de plaisir que se réservent plus jalousement les adultes, les soirs de réveillon, que le foie gras. Et pourtant (magie de Noël ?), il était écrit qu'ils devaient se rencontrer ! Servir le foie gras sur du pain d'épice est en vogue dans les restaurants. Lui adjoindre ce confit d'oignons, c'est quasiment basculer dans le domaine des friandises. On aurait presque envie de l'apporter comme dessert.

Pour 4 personnes

- 1 petit bloc de foie gras
- 4 tranches de pain d'épice
- 300 g d'oignons rouges
- 3 c. à s. de sirop de grenadine
- 1 c. à s. de vinaigre balsamique
- 3 c. à s. de vin rouge
- 60 g de sucre en poudre
- Huile d'olive
- Fleur de sel de Guérande
- Poivre au moulin

Éplucher les oignons. Les couper en rondelles. Faire chauffer de l'huile dans une poêle et y faire fondre les rondelles d'oignon sur feu doux, à couvert, pendant 30 min. Elles doivent devenir transparentes, sans colorer. Ajouter le sucre, le sirop de grenadine, le vinaigre et le vin. Laisser réduire pendant 45 min encore, toujours sur feu doux. Ôter du feu et réserver (ils se servent plutôt froids). Au moment de servir, faire griller les tranches de pain d'épice au grille-pain ou sous le gril du four. Les garnir de 1 tranche de foie gras, sans trop l'écraser. Disposer le confit d'oignons par-dessus ou à côté. Parsemer de fleur de sel et donner 1 tour de moulin à poivre. Servir pendant que le pain d'épice est encore tiède.

Salade tiède de lentilles aux saucisses poêlées

Les saucisses sous plastique, voilà qui évoque inévitablement l'enfance. Tout le monde nous les a conseillées, autour de nous, quand nous avons dressé notre liste d'ingrédients régressifs. Mais quelle recette inventer à partir de ce boyau de porc farci qui (pourtant) nous ravissait ? Nous avons décidé de les poêler par moitiés, pour leur donner un peu de tenue, et de les accompagner d'une salade de lentilles servie tiède, bien loin des boîtes réchauffées le dimanche soir. La déco a fait le reste…

Pour 4 personnes

- 300 g de lentilles vertes du Puy
- 8 saucisses (type knacks ou saucisses de Francfort)
- 1 oignon
- 2 gousses d'ail
- 1 bouquet garni
- 2 c. à s. de vinaigre
- 2 c. à c. de moutarde
- 20 brins de ciboulette
- 8 c. à s. d'huile
- 2 noix de beurre

Faire fondre le beurre dans une casserole. Y faire revenir l'oignon et l'ail épluchés pendant 10 min, sans les faire dorer. Ajouter le bouquet garni et les lentilles avec deux fois leur volume d'eau. Laisser cuire sur feu doux, à couvert, pendant 45 min. Si, au bout de ce temps, il reste encore du liquide, faire cuire pendant 5 min encore, à découvert. Pendant ce temps, préparer la vinaigrette en mélangeant le vinaigre, la moutarde et 6 c. à s. d'huile. Ciseler la ciboulette. Laisser tiédir les lentilles. Fendre les saucisses en deux dans la longueur et les poêler dans le reste d'huile sur feu vif, côté chair, de 3 à 5 min, jusqu'à ce qu'elles soient bien dorées. Mélanger la vinaigrette et les lentilles, dresser sur les assiettes (tout le monde n'a pas de pots de fleur sous la main…) avec la ciboulette et les saucisses. Déguster de préférence tiède.

Poulet au chocolat

La recette passe pour mexicaine. Mieux : elle daterait de l'époque aztèque, où l'on faisait mijoter la sauce au cacao pendant 3 jours, avant d'en recouvrir une dinde grillée. Cette variante simplifiée, et néanmoins savoureuse, saura clore le bec des plus sceptiques. Une seule réponse à leur moue surprise devant ce mélange : goûtez !

Pour 2 personnes

- 2 cuisses de poulet
- 10 g de chocolat noir
  + des copeaux pour
  la décoration
- 12 cl de bouillon de poule
  (en cube)
- 1 c. à c. de concentré
  de tomate
- 1 oignon
- 1 c. à c. de sucre roux en
  poudre
- 1 c. à c. de cannelle moulue
- 1/2 c. à s. de crème liquide
- Huile
- Sel et poivre au moulin

Faire chauffer un peu d'huile dans une sauteuse. Y faire dorer les cuisses de poulet pendant 15 minutes au moins. Saler, poivrer et réserver. Faire chauffer le bouillon de poule dans une casserole. Dès les premiers bouillons, incorporer le concentré de tomate. Éplucher l'oignon et le couper en rondelles. Faire chauffer encore un peu d'huile dans la sauteuse et y faire revenir les rondelles d'oignon sur feu doux. Elles doivent devenir transparentes, sans colorer. Ajouter le chocolat, coupé en carrés. Mélanger jusqu'à ce qu'ils soient bien fondus, puis verser le sucre et la cannelle. Incorporer le bouillon à la tomate, bien mélanger, goûter pour ajuster l'assaisonnement en sel et en poivre, puis ajouter les cuisses de poulet. Laisser cuire et réduire sur feu doux pendant 20 min. Au dernier moment, ajouter la crème liquide et laisser épaissir pendant 2 min. Pour servir, verser d'abord la sauce dans les assiettes, puis disposer les cuisses de poulet et râper dessus des copeaux de chocolat noir, avec un épluche-légumes.

Bonbons de légumes caramélisés

Il n'y a pas à aller très loin pour chercher l'étymologie de « bonbon » : c'est tout simplement la base même de ce qu'un enfant peut trouver de bon, avec ce redoublement de la syllabe, comme les tout premiers mots enfantins (papa, dodo, pipi...). Quelle meilleure façon de faire passer les légumes, moins séduisants, que de les transformer en bonbons caramélisés au miel de thym ?

Pour 2 personnes (en garniture)

- 2 navets
- 1 grosse carotte
- 3 c. à s. de miel liquide
- 10 petits brins de thym séché
- Poivre

Éplucher les navets et la carotte. Les plonger dans une casserole d'eau bouillante et laisser cuire pendant 10 min. Les égoutter. Former des billes de navet et de carotte avec une cuillère parisienne (celle que l'on utilise pour creuser les pastèques). Verser 2 c. à s. de miel dans une poêle antiadhésive, parsemer de thym, répartir les billes de légumes et les napper du miel restant. Laisser cuire sur feu doux pendant 10 min, en retournant les billes délicatement, plusieurs fois, à l'aide d'une spatule. Monter le feu et faire dorer pendant 5 min : tout le miel doit avoir été absorbé. Poivrer au dernier moment, et servir, par exemple, en accompagnement d'un magret de canard.

Glace aux pépites
de pâte à tarte crue

On le sait, c'est interdit : on ne mange pas la pâte à tarte crue, c'est indigeste !
Et pourtant tellement bon… L'idée de l'associer à la crème glacée n'est pas de
nous, mais d'une marque de glaces américaine. Avantageusement rempla-
cées, ici, par de la pâte à petits sablés (très bons cuits aussi, mais c'est une
autre histoire), les pépites viennent truffer la froide crème de petites pauses
presque tièdes. À la place du nougat, pas toujours facile à trouver, on peut
insérer des boulettes de pâte d'amandes : c'est très bon aussi.

Pour 4 personnes

- 1 l de crème glacée au chocolat
- 100 g de nougat
- 50 g de beurre ramolli
- 110 g de farine
- 50 g de sucre en poudre
- 1 c. à s. de lait

Mélanger le beurre et la farine pour obtenir une pâte friable. Ajouter le sucre et lait.
Pétrir jusqu'à obtenir une boule de pâte
semblable à une pâte à tarte. L'égrener en
petites billes qui constitueront les pépites.
Morceler pareillement le nougat. Au moment de ser-
vir, former 2 boules de glace dans chaque assiette et y piquer des pépites de pâte
sablée et de nougat. Servir aussitôt.

Fondant au chocolat
et sa crème de bananes

Autant la banane se dresse comme une épée, à demi épluchée et brandie à bout de bras dans les goûters de petits garçons, autant, une fois vaincue à la fourchette, elle se transforme en purée presque liquide, ingérable par un nourrisson. Ce fondant de chocolat, réservé aux adultes à cause de sa teneur en rhum, s'accommode de cette petite purée infantile, transmuée en sauce pour l'occasion. Le résultat ? Fondant.

Pour 8 personnes

- 4 bananes
- 300 g de chocolat noir
- 50 cl de crème liquide
- 5 cl de rhum
- 2 c. à s. de sucre en poudre
- 70 g de beurre
  (pour le fondant)
  + 2 noix de beurre
  (pour poêler les bananes)

Peler 2 bananes et les couper en deux dans le sens de la longueur. Faire fondre 2 noix de beurre dans une poêle. Y faire revenir doucement les demi-bananes, en les saupoudrant de sucre, pendant 10 min environ, en les retournant à mi-cuisson. Laisser refroidir. Faire fondre le chocolat avec le reste de beurre et le rhum dans un saladier, au bain-marie ou au micro-ondes. Laisser tiédir. Monter la crème liquide en chantilly très ferme. L'incorporer délicatement au chocolat. Tapisser un moule à cake de film alimentaire. Y verser 1/3 du mélange au chocolat. Poser dessus 2 demi-bananes. Verser la moitié du mélange au chocolat restant et poser les 2 demi-bananes restantes dessus. Verser le reste de mélange au chocolat et laisser le moule au réfrigérateur pendant 4 h au moins (vous pouvez préparer le fondant la veille). Au moment de servir, écraser la chair des 2 bananes restantes avec une fourchette. Démouler le fondant, le couper en tranches et le servir avec la banane écrasée, à côté ou par-dessus.

Omelette norvégienne
à la glace en petit pot

Kitsch à souhait, pour ne pas dire ringarde, l'omelette norvégienne traditionnelle fait son retour et cache ici un trésor presque oublié de notre enfance : les glaces en petits pots bicolores, que l'on dégustait avec une cuillère en plastique miniature. Le soubassement du délicat échafaudage est ce fameux quatre-quarts industriel, long comme les jours sans goûter, un peu sec et que, pourtant, nous aimions tous. La recette n'est pas facile : gérer le mélange de chaud et de froid reste une prouesse de pâtissier. Mais si votre four est aussi vif que l'humour de vos invités, ça vaut le coup d'essayer !

Pour 4 personnes

· 4 tranches de quatre-quarts
· 4 glaces en petits pots
· 2 blancs d'œufs
· 125 g de sucre glace
· 1 pincée de sel
En option :
· 4 c. à c. de rhum

Couper les tranches de quatre-quarts à la taille des glaces. Versez, éventuellement, 1 c. à c. de rhum sur chaque tranche. Battre les blancs d'œufs en neige avec le sel. Quand ils deviennent fermes, ajouter le sucre glace et battre encore, jusqu'à ce que le mélange soit homogène et brillant. Allumer le four en position gril. Quand il est bien chaud, sortir les glaces du congélateur. Les démouler sur les tranches de quatre-quarts. Les recouvrir de blanc d'œuf en neige. Passer les tranches de quatre-quarts très rapidement sous le gril, pour que le blanc d'œuf dore un peu. Servir immédiatement.

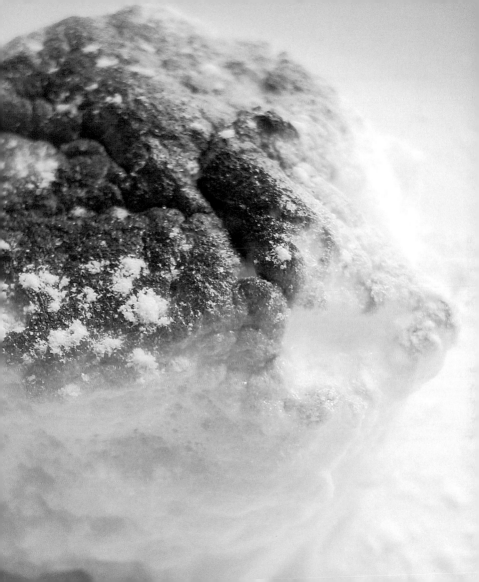

Raviolis au chocolat
sur coulis de fraises

La boîte de coussinets à l'indistincte garniture n'est pas réservée aux bambins, mais il faut avoir bien peu de poil au menton pour y trouver satisfaction. Tant qu'à jouer à « quand on était petits » sur le thème des raviolis, autant se les farcir au chocolat, avec un coulis de fraises en guise de fausse sauce tomate.

Pour 4 personnes

- 12 feuilles carrées de pâte à wontons (raviolis chinois)
- 1 petit pot de pâte à tartiner au chocolat (type Nutella)
- 250 g de fraises
- 40 g de sucre en poudre
- 2 c. à s. de jus de citron

Équeuter les fraises, les laver rapidement puis les mixer avec le sucre et le jus de citron pour obtenir un coulis. Couper les carrés de pâte à wontons en deux, de façon à obtenir 24 rectangles identiques. Déposer 1 c. à s. de pâte à tartiner sur chaque rectangle. Humecter les bords de la pâte et les sceller fermement, pour éviter que la pâte à tartiner ne s'échappe à la cuisson. Faire bouillir une grande casserole d'eau. Y plonger les raviolis et les faire cuire pendant 2 min. Les sortir délicatement de l'eau avec une écumoire. Servir immédiatement avec le coulis de fraises.

Fondue de chocolat
aux brochettes de fruits et de guimauve

Si l'on était plus honnête, on appellerait les fondues des « patouilles », tant ces repas ludiques rappellent le plaisir de patauger dans la boue, de patouiller de la glaise, de plonger les mains dans un pot de peinture… Plaisir auquel s'ajoute une seconde étape quasi érotique, pas toujours facile quand il s'agit de boue, de glaise ou de peinture : porter ensuite à sa bouche le produit de son brassage ! Jouissif, vraiment, il n'y a pas d'autres mots. La fondue au chocolat se prépare d'ordinaire avec des tablettes, mais le bon vieux Nutella des familles fait encore mieux l'affaire, puisqu'il est conçu pour rester crémeux en toutes circonstances. Si le monde des grands pouvait en faire autant…

Pour 4 personnes

- 1 pot de pâte à tartiner
  au chocolat (type Nutella)
  de 400 g
- 2 bananes
- 4 clémentines (ou autres fruits)
- Guimauves (type marshmallows)

Peler les bananes et les clémentines. Couper les bananes en tranches. Séparer les quartiers de clémentine. Piquer les tranches de banane et les quartiers de clémentine sur des brochettes, en les alternant avec des guimauves. Faire chauffer la pâte à tartiner dans un bol, au micro-ondes ou au bain-marie. Poser le bol sur un chauffe-plat ou un réchaud à fondue. Y tremper les brochettes et déguster.

Roudoudous géants
aux bonbons fondus

« Te raconter surtout les Carambar d'antan et les cocos au lait... Et les vrais roudoudous qui nous coupaient les lèvres et nous niquaient les dents... Et les Mistral gagnants. » Renaud les a chantés mieux que nous ; on ne va pas en rajouter. Place à la cuisine expérimentale, c'est tout !

Pour 1 roudoudou

- 1 coquille Saint-Jacques (vide)
- Bonbons au choix
- 1 fil de réglisse

Allez, pour une fois, on ne va pas vous donner la recette. Débrouillez-vous ! Si vous n'avez pas la chance d'habiter au bord de la mer pour y ramasser des coquillages, allez demander une coquille Saint-Jacques à votre poissonnier, puis faites un détour par la boulangerie, et lâchez-vous, comme quand vous étiez petit. Prenez ce qui vous tente : le plus drôle, c'est d'expérimenter. Sachez tout de même que les bonbons qui fondent le mieux sont les bonbons durs, acidulés et transparents, en papillote. Ils épousent totalement la forme du coquillage. Les bonbons un peu mous, clairs et opaques, en papillote aussi, s'avachissent moins et moins vite, mais ils ne sont pas à exclure. Les fraises Tagada et leurs cousines, en revanche, sont plutôt décevantes : elles gonflent mais ne se dissolvent pas. Quant au fil de réglisse, imperturbable à la cuisson, il servira à délimiter les compartiments de votre vitrail comestible. Une fois la coquille bien remplie, la passer à four chaud pendant 10 minutes environ, ou plus longtemps s'il y a des récalcitrants, et attendre le complet refroidissement avant dégustation, à coups de langue.

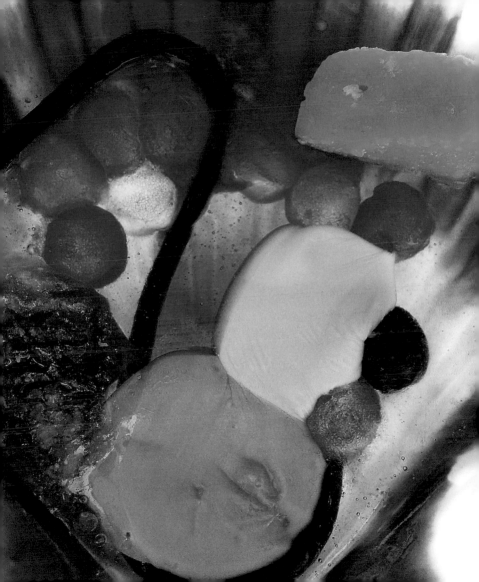

Éruption de vanille glacée sur lac de cola

Plus rapide, comme recette, ça n'existe pas. Plus étrange, non plus. Plus raffiné, comme goût... euh, oui. C'est pour cette raison que l'on n'indique les proportions que pour 1 personne : expérimentez-la donc vous-même avant de choisir quels autres cobayes auront assez d'humour pour l'apprécier à sa juste valeur. Car, si le goût résultant n'est pas digne d'un grand chef, la réaction chimique, elle, est fascinante ! Mais si vous voulez tirer la recette plutôt du côté de la gastronomie et moins du côté du spectacle, faites votre mixture de savant fou en cuisine et prélevez, dans le plat, uniquement la mousse parfumée au cola, que vous pourrez servir, par exemple, sur des tuiles aux pépites de caramel. Là, tout de suite, on gagne en crédibilité ! Mais notre préférence va tout de même à la variante qui fait profiter les invités de l'impressionnante éruption.

Pour 1 personne

- 1 boule de glace à la vanille
- 1 verre de soda au cola (type Coca-Cola)
- 1 caramel au cola (type Carambar)

Détailler le caramel en petits morceaux à l'aide d'un couteau et rouler ceux-ci en boulettes. Verser le soda au cola dans une assiette creuse. Déposer la boule de glace dessus et contempler le spectacle : le cola va produire de nombreuses bulles qui vont venir attaquer la glace et la faire mousser. On peut prolonger le processus en ajoutant un peu de soda au cola par-dessus, mais pas trop, car il risquerait de tout faire retomber. Parsemer de boulettes de caramel et servir aussitôt. Dans un verre, le résultat, gonflant au point de déborder, ou presque, est également très intéressant.

Souvenirs moelleux

Témoignages

Maman avait beaucoup d'imagination. Quand elle faisait du pain perdu, elle l'appelait le toast des cow-boys. Bien sûr, je la croyais, et ce dessert n'en était que plus savoureux. Aujourd'hui, chaque fois que j'en mange, je ris en m'imaginant les cow-boys dans les plaines en train de sortir leur poêle, le lait, les œufs…

Pierre, 31 ans, employé de banque

Le premier message d'amour que j'ai reçu, Nathalie me l'a écrit avec les petites lettres de sa soupe, sur le bord de son assiette. On avait 7 ans tous les deux, c'était ma voisine, sa mère m'avait invité à dîner. Je ne savais plus où me mettre…

Maxime, 45 ans, libraire

Je ne mangeais rien. Mon petit frère, lui, mangeait de tout. À force de faire des grimaces et de pousser des cris, j'ai même réussi à le dégoûter de pas mal de choses, y compris de manger des œufs à la coque, qu'il adorait.

Marie, 37 ans, attachée de presse

Je n'ai jamais autant
fait la cuisine que quand
j'étais au collège : quand je rentrais, j'étais seul à la maison et je me
faisais des gâteaux à la poêle. Je mélan-
geais tout ce que je trouvais, avec un œuf,
du sucre et de la farine, et hop ! sur le feu.
Je faisais la vaisselle ensuite, personne
ne pouvait se douter de ce qui s'était
passé. C'était mon secret.
**Sébastien, 32 ans,
comédien**

Ma grand-mère
avait réussi à me convaincre
qu'elle était la meilleure cuisi-
nière du monde. Ce n'était pas le cas
du tout, mais elle m'avait tellement
bien persuadée que, chaque fois que
je mangeais un de ses gâteaux, j'avais
l'impression de vivre un moment
exceptionnel.
**Christine, 43 ans,
mère au foyer**

Cocktail vodka–Malabar

Le Malabar, c'est le plus gros des chewing-gums, celui qui fait, dit-on, les plus grosses bulles. Vendu dans toutes les boulangeries, il est indissociable de l'enfance. Pourtant, ce n'est pas facile d'inventer une recette avec un produit qui, par définition, ne se mange pas ! Une seule solution : le faire infuser dans de l'alcool, qui s'imprégnera de son inimitable saveur. Et le plus drôle est la déco. Regardez la tête de vos invités quand vous leur tendrez vos œuvres d'art ! Mais le petit côté techno de ces arabesques caoutchouteuses, et néanmoins hygiéniques, saura séduire certains d'entre eux…

Pour 1 verre

- 6 cl de vodka
- 2 Malabar
- 1 c. à c. de sucre en poudre
  (ou liquide)

Verser la vodka dans un bocal hermétique. Verser le sucre, secouer le bocal pour le dissoudre, puis y plonger les malabars. Laisser infuser pendant 24 h au moins (plusieurs jours, c'est mieux), en remuant de temps en temps. Le chewing-gum va perdre sa couleur et se déliter un peu. Au moment de servir, goûter le mélange, pour ajuster, éventuellement, la teneur en sucre, filtrer la vodka et la verser dans un petit verre. Comme le chewing-gum sera mou, il peut être manipulé sans être mâché : le distendre de façon à obtenir une surface plane avec un ou plusieurs trous, et le disposer de façon esthétique à la surface du verre. C'est prêt !

Mousseline de jambon
sur champignons de la capitale

Difficile de dissocier le jambon de l'image du poupon : même couleur rose, même fraîcheur, même formes rebondies, sans doute. Pas de doute : « jambon mouliné » rimera toujours avec « bébé », comme « marmot » avec « petit pot ». Ces rangs de boulettes armées de ciboulette ont quelque chose de poupon aussi, dans leur rondeur et leurs couleurs pastel. Qu'importe, elles finiront piquées dans un bain de vinaigrette, car la comparaison s'arrête là : c'est l'heure de l'apéritif !

Pour 6 personnes

- 250 g de petits champignons de Paris
- 1 tranche de jambon
- 2 c. à s. de mascarpone
- 1 c. à c. de moutarde à l'ancienne
- 3 feuilles de salade verte
- 20 brins de ciboulette
- 3 c. à s. d'huile de noix ou de noisette
- 1 c. à s. de vinaigre de xérès

Couper le pied des champignons. Mixer le jambon avec le mascarpone et la moutarde. Garnir chaque champignon avec 1 morceau de feuille de salade et 1 c. à s. du mélange au jambon, puis maintenir le tout avec un pique-olives. Décorer avec des brins de ciboulette. Mélanger l'huile et le vinaigre. Servir la vinaigrette à part, pour y tremper les champignons.

NB : pour la photo, on s'est amusé à enfiler les brins de ciboulette sur les cure-dents en bois. Effet visuel assez amusant quand les brins sont très longs et rigides !

Billes de fromage
aux épices et aux herbes

Quand le fromage carré des gastronomes en culottes courtes, pour ne pas le nommer, se met en boules, ça donne à peu près ça. À ceci près que ces petites billes révèlent une surprise à l'intérieur, les raisins secs, et que leur croûte, parfois épicée, aurait plutôt tendance à plaire aux gastronomes en culottes longues. Au total, des petite billes multicolores et originales qui fondent dans la bouche, pas dans le décor.

Pour 24 boulettes
· 240 g de fromage fondu
  (type Kiri)
· 24 raisins secs
Au choix :
· des épices : paprika, curry…
· des herbes : aneth, ciboulette…
· des graines : de sésame,
  de cumin…

Avec les mains, former 24 billes de fromage autour des grains de raisin. Rouler ces boulettes dans les épices, les herbes coupées ou les graines. Servir à l'apéritif ou, éventuellement, en guise de plateau de fromages.

Fruits déguisés au foie gras

Le meilleur de la fête, c'est souvent sa préparation. Souvenez-vous de ces fruits déguisés en pâte d'amandes, roulés à pleines mains comme de la pâte à modeler, rose ou verte, religieusement placés dans des petites barquettes réservées aux grandes occasions, que l'on était fier de servir sur un plateau aux invités (eux aussi) endimanchés... Ceux-là sont non seulement déguisés, mais, en outre, ils ont fait peau neuve : le foie gras a remplacé la pâte d'amandes. Mais puisqu'il s'accommode si bien des confitures de figues ou autres garnitures sucrées, il ne saurait être ainsi en mauvaise compagnie. Plus besoin d'attendre le dessert pour sortir les friandises : maintenant, elles ouvrent le bal.

Pour 25 fruits déguisés

· 25 fruits secs : abricots, dattes,
  pruneaux, figues...
· 100 g de foie gras
· Gros sel
· Poivre au moulin

Fendre délicatement les fruits secs avec un couteau, pour former des petites poches. Un truc pour dénoyauter les pruneaux, s'ils ne le sont pas ? Les faire d'abord gonfler à la vapeur. Garnir les fruits de foie gras. Assaisonner avec du gros sel et du poivre.

Babybel panés

Vous en connaissez beaucoup, des fromages qui font aussi office de pâte à modeler, boules Quiès, rouge à lèvres, bille de fortune et cire de bougie ? Une seule réponse sur toutes les lèvres : « bababa...ba... Babybel ». Pourtant, un usage de cette inimitable pâte rouge restait inexploité : celui de saucière à vinaigrette. C'est maintenant chose faite. Débarrassées de leur carapace, rhabillés de chapelure, les petits fromages ronds sont désormais déguisés pour intégrer les assiettes des adultes : bienvenue aux petits panés sur lit de salade.

Pour 4 personnes

- 8 mini-Babybel
- 20 tomates cerises
- 150 à 200 g de salade verte
- 100 g de chapelure
- 1 œuf
- 2 c. à s. de vinaigre
  (plutôt de xérès ou de cidre)
- 2 c. à c. de moutarde
- 10 c. à s. d'huile
  (4 c. à s. pour paner
  les fromages + 6 c. à s.
  pour la vinaigrette)
- 1 pincée de sel

Préparer la vinaigrette en mélangeant le vinaigre, la moutarde et le sel, puis en ajoutant l'huile. Enlever la croûte des fromages en la coupant à l'horizontale (et non dans le sens de la languette), de façon à former des petites coupelles. Verser une partie de la vinaigrette dans quatre petites coupelles et mélanger le reste avec la salade. Répartir celle-ci sur les assiettes. Battre l'œuf en omelette. Faire chauffer le reste d'huile dans une poêle sur feu moyen. Passer les fromages dans l'œuf, puis dans la chapelure. Les poser dans la poêle et les cuire de 1 min à 1 min 30 de chaque côté, jusqu'à ce qu'ils soient bien dorés. Les poser sur la salade et servir immédiatement avec des tomates cerises.

Pain perdu au saumon fumé

Inventé, en des temps difficiles, pour ne pas laisser se perdre du pain rassis, le pain perdu, toutes les recettes vous le confirmeront, est encore bien meilleur avec du pain de mie, voire avec de la brioche, ce qui est en soi une délicieuse aberration. Loin d'être une étape sursitaire avant la poubelle, le pain perdu des nouvelles générations, peu marquées par la disette, avait donc plutôt des allures de goûters de luxe : des tranches moelleuses, imbibées de lait, d'œuf et de sucre. Il achève ici de grimper dans l'échelle sociale, puisque le voilà paré du noble saumon fumé.

Pour 2 personnes

· 4 tranches de pain de mie
· 2 grandes ou 4 petites
  tranches de saumon fumé
· 4 brins d'aneth
· 10 cl de crème fraîche
· 1 œuf
· 20 cl de lait
· 1 noix de beurre
· Sel et poivre au moulin

Prélever les pluches d'aneth et les mélanger à la crème fraîche. Couper les tranches de saumon en quatre ou en deux, selon qu'il y en 2 ou 4. Faire chauffer le beurre dans une poêle sur feu moyen. Enlever la croûte des tranches de pain. Battre l'œuf à la fourchette. Tremper les tranches de pain dans le lait, puis dans l'œuf battu. Les poêler de 2 à 3 min de chaque côté, jusqu'à ce qu'elles soient bien dorées. Saler et poivrer. Les disposer dans les assiettes. Recouvrir de saumon fumé et de crème à l'aneth. Servir immédiatement.

Gâteau de crêpes salé

Nul mot ne porte mieux son accent circonflexe que le mot « crêpe », tant celui-ci rend visible la crêpe en vol, prête à se retourner en l'air au-dessus de la poêle… où elle retombe en plein milieu, pile sur le « e », selon toute logique ! N'est-ce pas le même qui donne cet air festif au mot « fête » lui-même ? Point de fête sans crêpes, donc, mais rien n'interdit de les manger salées, comme un gigantesque et léger hamburger.

Pour 4 personnes
en entrée, ou
2 personnes en plat

Pour les crêpes :
- 80 g de farine
- 8 cl de lait
- 8 cl d'eau
- 1 œuf
- 1 c. à s. d'huile + supplément pour la cuisson
- Sel

Pour la garniture :
- 2 tranches de jambon
- 200 g de fromage de chèvre
- 100 g de salade
- 10 brins de ciboulette
- 1 petit oignon nouveau
- 4 c. à s. de fromage blanc
- 1 c. à s. de vinaigre
- Sel et poivre au moulin

Mettre la farine, le lait, l'eau, l'œuf, l'huile et 1 pincée de sel dans le bol d'un mixeur. Mixer jusqu'à obtenir un mélange homogène. Laisser reposer la pâte pendant 1 h environ. Émincer la ciboulette et l'oignon nouveau. Mélanger le fromage blanc, le vinaigre, l'oignon et la ciboulette. Saler et poivrer. Faire chauffer un peu d'huile dans une poêle. Y faire cuire 5 crêpes, en les retournant quand elles sont bien dorées. Ajouter de l'huile en cours de cuisson, si nécessaire. Laisser refroidir. Poser 1 crêpe sur le plat. La garnir de salade et de 1/3 de la sauce au fromage blanc. Poser 1 autre crêpe et la garnir avec le fromage de chèvre. Ajouter une troisième crêpe et la garnir de salade et de sauce. Ajouter encore 1 crêpe et la garnir des tranches de jambon. Poser la dernière crêpe. Au moment de servir, verser le reste de sauce sur le gâteau de crêpes ou la servir à part.

Magret de canard
à la marmelade d'oranges

Peu de viandes s'accommodent aussi bien que le canard de garnitures sucrées. Profitons-en : c'est l'occasion de tester son alliance gustative avec nombre de fruits, pruneaux, pommes, raisins, abricots, coings et, bien sûr, oranges. Rien qu'à ouvrir le pot de marmelade, certains se souviendront peut-être de l'époque des confitures, confectionnées si possible avec une bonne-maman... bien réelle ou mythique.

Pour 2 personnes

- 1 magret de canard
- Le jus de 1 orange
- 8 c. à s. de marmelade d'oranges
- 4 c. à s. de vinaigre de cidre
- Sel et poivre au moulin

Quadriller la peau du magret avec un couteau. Faire chauffer une poêle sur feu vif. Y poser le magret, côté peau en dessous. Saler et poivrer. Laisser cuire pendant 5 min, puis baisser le feu. Vider la graisse de la poêle et poursuivre la cuisson 5 min encore. Retourner le magret et cuire l'autre côté pendant 5 min. Saler et poivrer. Quand le magret est cuit, l'enlever de la poêle et le laisser reposer sous un papier d'aluminium, pour que la chair se détende. Pendant ce temps, verser le jus d'orange, la marmelade et le vinaigre dans une petite casserole. Faire chauffer le mélange doucement pendant 5 min. Couper le magret en tranches. Servir avec la sauce.

Hamburgers de thon au miel et au gingembre

Le thon, c'est bon, et le gingembre, c'est excellent. Leur alliance, sur fond de miel, transfigure les hamburgers classiques en sandwiches expérimentaux, à servir, par exemple, avec des frites de patate douce (voir p. 50). De quoi renoncer au gadget offert en cadeau par certaines chaînes de hamburgers moins scrupuleuses sur le goût. Reviens, Léon, y'a meilleur à la maison !

Pour 4 personnes

- 4 petits pains pour hamburgers
- 500 g de filet de thon
- 4 petits oignons nouveaux
- 1 morceau de gingembre frais de 10 g environ
- 20 feuilles de coriandre
- 2 poignées de roquette
- 4 c. à s. de miel
- 1 c. à s. de moutarde
- 2 c. à c. de vinaigre de cidre (ou balsamique)
- Le jus de 1 citron
- 3 c. à s. d'huile d'olive
- Sel et poivre au moulin

Peler le morceau de gingembre et le couper en bâtonnets. Mélanger le miel, la moutarde, le vinaigre et le gingembre dans une casserole. Faire chauffer sur feu doux pendant 5 min. Laisser refroidir et retirer les morceaux de gingembre. Peler et couper les oignons nouveaux en rondelles. Ciseler la coriandre. Hacher le thon, au couteau ou au mixeur. Le mélanger avec le jus de citron, la coriandre, du sel et du poivre. Façonner 4 steaks avec le thon haché. Faire griller les petits pains sous le gril du four ou dans un grille-pain. Les couper en deux et garnir les 4 bases de roquette. Faire chauffer l'huile dans une poêle sur feu moyen. Y faire cuire les steaks de thon 3 min de chaque côté. Les poser sur la roquette, les arroser de la sauce au miel, poser les rondelles d'oignon et les chapeaux des petits pains.

Roulés de veau au jambon cru en résille de réglisse

C'est presque une contrepèterie : le rouleau de réglisse devient roulé de veau (lisse), inspiré des paupiettes, mais avec des fils qui se mangent : un petit paquet cadeau sucré-salé en sauce au Zan.

Pour 2 personnes

- 2 escalopes de veau coupées finement
- 2 tranches de jambon cru
- 2 rouleaux de réglisse
- 1 petit morceau de Zan
- 10 cl de crème liquide
- 2 c. à s. d'huile
- Quelques feuilles d'estragon
- Sel et poivre au moulin

Dérouler les rouleaux de réglisse, pour obtenir 4 fils en tout. Bien aplatir les escalopes. Poser 1 tranche de jambon sur chaque escalope. Les rouler et les couper en deux. Ficeler délicatement les 4 roulés avec les fils de réglisse. Faire chauffer l'huile dans une poêle sur feu moyen. Lorsqu'elle est chaude, poser les roulés d'escalope dans la poêle. Saler et poivrer. Laisser cuire pendant 10 min environ, en retournant délicatement les roulés, pour ne pas briser les fils. (Si l'un des fils de réglisse se brise pendant la cuisson, poursuivre la recette : on refera le paquet avant de servir avec un nouveau morceau de réglisse). Cinq minutes avant la fin de la cuisson, faire chauffer la crème liquide dans une petite casserole avec le morceau de Zan. Dès que le Zan colore la sauce, goûter et, si c'est assez parfumé, retirer le morceau de Zan. Verser la sauce dans les assiettes, poser dessus les roulés et quelques feuilles d'estragon.

Pancakes de purée au fromage

Dans les contes de fées, les baguettes magiques servent souvent à faire changer de nature un objet du quotidien : citrouille transformée en carrosse, nez en saucisse, ou crapaud en prince charmant. Alors, armez-vous de votre spatule en bois de coudrier, chantonnez votre formule préférée (« Quand je fais de la purée Mousline… ») et métamorphosez votre purée en véritables petites galettes au fromage, dorées et moelleuses à souhait. On a fait le test dans nos familles : enchantement assuré.

Pour 4 personnes
· 125 g de flocons de purée
· 200 g d'emmental râpé
· 35 cl de lait
· 2 œufs
· 3 c. à s. d'huile
· Sel et poivre au moulin

Faire bouillir le lait dans une casserole. Verser les flocons de purée en pluie et remuer pour éviter la formation de grumeaux. Quand la purée est bien homogène, baisser le feu, ajouter l'emmental, les œufs, du sel et du poivre. Mélanger à nouveau et laisser chauffer quelques minutes. Faire chauffer l'huile dans une poêle sur feu vif. Façonner la purée en petites galettes et les poêler de 3 à 4 min de chaque côté, jusqu'à ce qu'elles soient bien dorées. Servir immédiatement.

Tarte au chocolat en poudre

L'empereur aztèque Moctezuma, quand il fit goûter aux conquistadores espagnols leur première coupe de cacao, se doutait-il que ce breuvage céleste deviendrait un jour la boisson favorite des petits enfants d'Occident ? Entre l'amère décoction primitive et la poudre instantanée à dissoudre dans du lait chaud, il y eut quelques étapes de transformation, certes, notamment l'ajout de sucre, de vanille et de cannelle, dès le XVIe siècle, mais les peuples des « cités d'or » ne s'y étaient pas trompés : le *xocoatl* avait de l'avenir. En souvenir de nos petits déj et des moustaches afférentes, voici une recette qui convertit la poudre en or noir. Abracadabra, chocolat !

Pour 6 personnes

- 250 g de pâte sablée
- 200 g de chocolat en poudre
  + supplément pour la décoration
- 20 cl de crème liquide
- 1 œuf

En option :
- Beurre + farine pour le moule à tarte

Préchauffer le four à 180 °C. Couvrir un moule à tarte de papier sulfurisé ou le beurrer et le fariner. Étaler la pâte dans le moule. Piquer le fond à la fourchette. Cuire au four pendant 10 min. Sortir le moule du four et laisser refroidir la pâte. Verser la crème et le chocolat dans une casserole et faire cuire le mélange pendant 3 min. Laisser refroidir, puis incorporer l'œuf. Verser le mélange sur le fond de tarte. Cuire au four à 180 °C pendant 15 min encore. Décorer avec un peu de chocolat en poudre.

Tarte au sirop de fraise

Inspirée des cheesecakes américains, mais garnie de spéculoos (petits biscuits à la vergeoise brune et aux épices) cent pour cent belges, cette tarte rassemble les enfants du monde entier autour d'un arôme universel, ou presque : le sirop de fraise, indissociable de la couleur rouge, dont on dit que c'est la couleur préférée des petits. Difficile, quel que soit son âge, de résister devant une tarte aux fraises bien mûres, dont la couleur flamboyante provoque l'effet inverse d'un feu de circulation : venez vite !

Pour 4 personnes

- 250 g de fraises
- 240 g de fromage fondu
  (type Kiri)
- 80 g de spéculoos
- 10 cl de sirop de fraise
- 1 œuf
- 25 g de beurre

Préchauffer le four à 180 °C. Écraser les spéculoos avec un rouleau à pâtisserie ou les mixer. Faire fondre le beurre sur feu doux. Mélanger le beurre fondu avec les miettes de gâteau. Bien tasser le mélange au fond d'un moule pour former la croûte (utiliser un moule à gâteau de 18 cm de diamètre environ, si possible avec un fond amovible). Mélanger le fromage fondu, l'œuf et le sirop de fraise. Recouvrir la croûte de ce mélange et faire cuire au four pendant 45 min. Laisser refroidir, puis démouler délicatement. Si le moule n'a pas de fond amovible, décoller le bord avec un couteau, démouler la tarte à l'envers sur une assiette et la retourner sur une seconde assiette. Couper les fraises en deux et garnir la tarte de demi-fraises.

Brioche à la confiture et crème fouettée

C'est un gâteau de bande dessinée, de conte de fées ou de dessin animé. Un gâteau à étages, comme dans les rêves, interminable, dégoulinant, mi-crémeux, mi-moelleux, collant, pour sûr, joufflu comme un bébé, prêt à vaciller sous le poids de ses fantaisies colorées. Un gâteau comme une pièce montée qui serait partie de travers, un chou à la crème géant, une maison de Schtroumpf repeinte par Blanche-Neige...

Pour 4 personnes

- 1 brioche pour 4 personnes
- 1 pot de confiture (fraises, framboises, abricots...)
- 30 cl de crème liquide
- Beurre

Couper la brioche en tranches épaisses. Poêler les tranches de brioche dans du beurre jusqu'à ce qu'elles soient dorées (ou les faire griller dans un grille-pain ou sous le gril du four et les beurrer). Alterner des couches de brioche, de crème et de confiture, pour former un gros gâteau.

Tarte au citron meringuée aux marshmallows

Vous avez cru voir des blancs montés en neige et passés au four ? Une tarte meringuée traditionnelle, en somme ? Illusion d'optique. Souvenez-vous de votre premier voyage en avion, quand vous avez traversé pour la première fois des moutons de nuages semblables à un ciel de marshmallows. Souvenez-vous aussi de ces petites boules de coton hydrophile qui vous fascinaient, dans la salle de bains, et au sein desquelles vous auriez bien plongé comme dans une piscine de balles. Souvenez-vous enfin des brochettes de marshmallows fondus au feu de bois. Il y a un peu de tout cela dans ces guimauves, moelleuses et douces comme l'enfance.

Pour 4 tartelettes

- 250 g de pâte sablée
- 4 citrons
- 20 marshmallows environ
- 200 g de beurre
- 240 g de sucre en poudre
- 4 œufs + 4 jaunes

Préchauffer le four à 180 °C. Couvrir un moule à tarte de papier sulfurisé. Étaler la pâte sablée dans le moule. Piquer le fond à la fourchette. Cuire au four pendant 20 min environ, jusqu'à ce que la pâte soit cuite. Pendant ce temps, presser les citrons. Mettre le jus de citron, avec le beurre, le sucre, les œufs et les jaunes, dans une casserole. Faire chauffer le mélange sur feu moyen en remuant constamment avec une grande cuillère en bois. Au bout de 7 à 10 min, quand le mélange épaissit et nappe la cuillère, porter à ébullition, puis le verser dans un plat froid. Mettre au réfrigérateur. Quand la pâte est cuite, sortir le moule du four et laisser refroidir. Quand la crème au citron est froide, l'étaler sur le fond de tarte. Couper les marshmallows en deux et les poser sur la tarte. Faire chauffer le gril du four. Passer la tarte sous le gril de 2 à 3 min, en surveillant, jusqu'à ce que les marshmallows commencent à dorer. Servir immédiatement.

Fudges pour le café en bûche de Noël

Le titre paraît énigmatique : c'est que la recette ci-dessous, qui s'apparente à celle des fudges, ces caramels mous britanniques, est inspirée d'une recette de bûche de Noël « sans maman » proposée par un numéro de *Pomme d'Api* datant des années 1970. Si les figurants ont pris un coup de vieux, le plat, collant à souhait, reste toujours aussi jouissif à réaliser, notamment la première phase, qui consiste à écraser sauvagement les gâteaux, et la dernière, qui s'apparente aux activités de pâte à modeler. Amateurs de travaux manuels, réjouissez-vous !

Pour 8 personnes

- 1 paquet de biscuits « casse-croûte »
- 200 g de beurre fondu
- 200 g de sucre en poudre
- 1 tasse de café fort et chaud
- 250 g de noisettes

Au choix :
- cacao en poudre
- graines de sésame
- noix entières
- décorations en sucre
- café soluble
- graines de pavot
- cassonade
- cannelle moulue
- poudre d'amandes
- grains de pollen
- sucre glace
- noix de coco râpée

Réduire les biscuits en miettes. Dissoudre le sucre dans le beurre fondu. Incorporer aux biscuits. Ajouter la quantité de café nécessaire pour obtenir une pâte lisse. Verser la pâte dans un moule à cake tapissé de film alimentaire, de papier sulfurisé ou de papier d'aluminium (pour faciliter le démoulage). Laisser prendre au réfrigérateur pendant 12 h. Démouler la bûche. Prélever des petits morceaux. Enfoncer une noisette au milieu de chacun d'eux et former des boules dans la paume des mains. Les rouler dans les décorations choisies, et servir comme friandises accompagnant le café.

Semoule au jus de pomme et poêlée de fruits

C'est la base des bouillies de l'enfance, l'une des premières matières que l'on promène sur ses gencives encore vierges, au risque d'en propulser du haut de sa grande chaise sur son petit monde néanmoins ébloui. Par la suite, la semoule connaît deux variantes : sucrée, elle est servie pâteuse, en entremets ; salée, elle forme la base du couscous. Cette recette prend le contre-pied de ces traditions, puisqu'il s'agit d'un véritable couscous, mais sucré, gonflé au jus de pomme. Délicieux, avec le contraste des fruits chauds et charnus.

Pour 4 personnes

- 150 g de semoule moyenne
- 2 pommes
- 40 cl de jus de pomme
- Le jus de 2 citrons
- 50 g de raisins secs
- 2 c. à s. de miel
- 1 c. à c. de cannelle moulue
- 2 noix de beurre

Verser le jus de pomme et le jus de citron sur la semoule et la laisser gonfler au réfrigérateur pendant 3 h au moins (on peut la préparer la veille), en remuant de temps en temps avec une fourchette. Si, au bout de ce temps, la semoule n'est pas assez moelleuse, ajouter du jus de pomme. Peler les pommes et les couper en dés. Faire chauffer le beurre dans une poêle sur feu doux. Y faire cuire les dés de pomme et les raisins secs, avec le miel, pendant 10 min environ. Poser les fruits sur la semoule, saupoudrer de cannelle et servir tiède.

Forêt verte au sirop de menthe

À vrai dire, on a essayé cette recette un peu au hasard, parce que l'idée de convertir un ersatz de Forêt-Noire en forêt verte nous amusait. Certaines idées viennent des titres, c'est comme ça : on avait aussi pensé l'appeler « Petits gâteaux d'après 8 heures », à destination des anglophiles. Et puis, le mélange de sirop de menthe et de chantilly s'est avéré si délicieux que nous nous sommes presque battues pour finir le plat ! À tester de toute urgence, donc.

Pour 6 petits gâteaux

- 140 g de chocolat noir
- 10 c. à s. de sirop de menthe
- 20 cl de crème liquide
- 50 g de farine + supplément pour le(s) moule(s)
- 2 œufs
- 100 g de sucre en poudre
- 100 g de beurre + supplément pour le(s) moule(s)

En option :
- Quelques feuilles de menthe pour la décoration

Préchauffer le four à 150 °C. Mélanger la farine avec les œufs et le sucre. Faire fondre le beurre avec le chocolat, au four à micro-ondes ou au bain-marie. Incorporer le chocolat fondu dans le mélange précédent, de façon à obtenir une pâte bien homogène. Beurrer et fariner le(s) moule(s).

Y verser la pâte. Cuire au four pendant 20 min. Fouetter la crème liquide en chantilly. Quand elle est bien ferme, verser le sirop de menthe et fouetter rapidement à nouveau. Sortir le(s) gâteau(x) du four. Laisser refroidir, démouler et servir avec la crème à la menthe. Décorer de feuilles de menthe.

NB : pour faire un grand gâteau, doubler les quantités indiquées ci-dessus.

Classement par catégories de plats

Apéritif

Petits palmiers salés (28)
Boulettes de coquillettes
à la mimolette et au cumin (30)
Minipizzas de spaghettis poêlés (32)
Chips de patate douce (34)
Purée d'avocats au pop-corn (36)
Foie gras sur pain d'épice
et confit d'oignons rouges à la grenadine (94)
Cocktail vodka-Malabar (120)
Mousseline de jambon
sur champignons de la capitale (122)
Billes de fromage aux épices et aux herbes (124)
Fruits déguisés au foie gras (126)

Entrées

Carottes râpées au lait de coco (38)
Feuilletés à la bovine hilare (60)
Soupe tomate-orange aux petites lettres (62)
Soupe de châtaignes à la réglisse (64)
Velouté de chou-fleur
aux chips de betterave (66)
Salade tiède de lentilles
aux saucisses poêlées (96)
Babybel panés (128)
Pain perdu au saumon fumé (130)
Gâteau de crêpes salé (132)

Plats

Filet de porc
en croûte de cacahuètes (40)
Thon en croûte de parmesan
à la vinaigrette au poivron (42)
Steak haché géant
aux deux lagons bleus (44)
Nuggets de poulet à la mimolette,
sauce aux petits-suisses (46)
Travers de porc
caramélisés au ketchup (48)
Jambon purée chic (68)
Fondue de purée au fromage (72)
Poulet au chocolat (98)
Magret de canard
à la marmelade d'oranges (134)
Hamburgers de thon
au miel et au gingembre (136)
Roulé de veau au jambon cru
en résille de réglisse (138)

Garnitures

Frites de patate douce (50)
Petites purées aux épices (70)
Bonbons de légumes caramélisés (100)
Pancakes de purée au fromage (140)

Goûters

Scones surprises au chocolat blanc (52)
Sablés à la réglisse (54)
Confiture de lait
à l'eau de fleur d'oranger (82)
Roudoudous géants
aux bonbons fondus (112)
Brioche à la confiture
et crème fouettée (146)

Desserts

Crème polaire aux icebergs de curaçao (74)
Mousse au chocolat blanc (76)
Riz au lait de coco sur chips de mangue (78)
Crémeux de carottes à la cardamome (80)
Crème anglaise à la coque, mouillettes de pain d'épice (84)
Mille-feuilles de chips de pomme, chantilly à la cannelle (86)
Fraises au vin d'épices sur lait concentré sucré (88)
Glace aux pépites de pâte à tarte crue (102)
Fondant au chocolat et sa crème de bananes (104)
Omelette norvégienne à la glace en petit pot (106)
Raviolis au chocolat sur coulis de fraises (108)
Fondue de chocolat aux brochettes de fruits et de guimauve (110)
Éruption de vanille glacée sur lac de cola (114)
Tarte au chocolat en poudre (142)
Tarte au sirop de fraise (144)
Tarte au citron meringuée aux marshmallows (148)
Fudges pour le café en bûche de Noël (150)
Semoule au jus de pomme et poêlée de fruits (152)
Forêt verte au sirop de menthe (154)

Index par ingrédients régressifs

Babybel : Babybel panés (128)

Banane : Fondant au chocolat et sa crème de bananes (104)

Beurre de cacahuète : Filet de porc en croûte de cacahuètes (40)

Biscuits secs : Tarte au sirop de fraise (144), Fudges pour le café en bûche de Noël (150)

Bonbons : Roudoudous géants aux bonbons fondus (112)

Brioche : Brioche à la confiture et crème fouettée (146)

Cacahuètes : Filet de porc en croûte de cacahuètes (40)

Carottes râpées : Carottes râpées au lait de coco (38)

Chantilly : Mille-feuilles de chips de pomme, chantilly à la cannelle (86), Brioche à la confiture et crème fouettée (146)

Chewing-gum : Cocktail vodka-Malabar (120)

Chocolat à tartiner : Raviolis au chocolat sur coulis de fraises (108), Fondue de chocolat aux brochettes de fruits et de guimauve (110)

Chocolat blanc : Scones surprises au chocolat blanc (52), Mousse au chocolat blanc (76)

Chocolat en morceaux : Poulet au chocolat (98), Forêt verte au sirop de menthe (154)

Chocolat en poudre : Tarte au chocolat en poudre (142), Fudges pour le café en bûche de Noël (150)

Coca-Cola : Éruption de vanille glacée sur lac de cola (114)

Confiture : Magret de canard à la marmelade d'oranges (134), Brioche à la confiture et crème fouettée (146)

Coquillettes : Boulettes de coquillettes à la mimolette et au cumin (30)

Crème de gruyère : Feuilletés à la bovine hilare (60)

Crêpes : Gâteau de crêpes salé (132)

Fraises : Fraises au vin d'épices sur lait concentré sucré (88), Raviolis au chocolat sur coulis de fraises (108), Tarte au sirop de fraise (144)

Fromage blanc : Tarte au sirop de fraise (144)

Fromage fondu : Billes de fromage aux épices et aux herbes (124), Pancakes de purée au fromage (140)

Gâteaux secs : Tarte au sirop de fraise (144), Fudges pour le café en bûche de Noël (150)

Glace à la vanille : Éruption de vanille glacée sur lac de cola (114)

Glace au chocolat : Glace aux pépites de pâte à tarte crue (102)

Glace en petit pot : Omelette norvégienne à la glace en petit pot (106)

Grenadine : Foie gras sur pain d'épice et confit d'oignons rouges à la grenadine (94)

Guimauve : Fondue de chocolat aux brochettes de fruits et de guimauve (110), Tarte au citron meringuée aux marshmallows (148)

Jambon : Jambon purée chic (68), Mousseline de jambon sur champignons de la capitale (122), Gâteau de crêpes salé (132)

Jus de fruits : Semoule au jus de pomme et poêlée de fruits (152)

Ketchup : Travers de porc caramélisés au ketchup (48)

Lait : Crémeux de carottes à la cardamome (80)

Lait concentré sucré : Confiture de lait à l'eau de fleur d'oranger (82), Fraises au vin d'épices sur lait concentré sucré (88)

Lait de coco : Riz au lait de coco sur chips de mangue (78)

Malabar : Cocktail vodka-Malabar (120)

Marshmallow : Fondue de chocolat aux brochettes de fruits et de guimauve (110), Tarte au citron meringuée aux marshmallows (148)

Miel : Hamburgers de thon au miel et au gingembre (136)

Mimolette : Boulettes de coquillettes à la mimolette et au cumin (30), Nuggets de poulet a la mimolette, sauce aux petits-suisses (46)

Nutella : voir Chocolat à tartiner

Pain d'épice : Crème anglaise à la coque, mouillettes de pain d'épice (84), Foie gras sur pain d'épice et confit d'oignons rouges à la grenadine (94)

Pain perdu : Pain perdu au saumon fumé (130)

Pâte à tarte crue : Glace aux pépites de pâte à tarte crue (102)

Pâtes : Boulettes de coquillettes à la mimolette et au cumin (30), Minipizzas de spaghettis poêlés (32), Soupe tomate-orange aux petites lettres (62)

Petites lettres : Soupe tomate-orange aux petites lettres (62)

Petits-suisses : Nuggets de poulet à la mimolette, sauce aux petits-suisses (46)

Pop-corn : Purée d'avocats au pop-corn (36)

Purée de pommes de terre : Jambon purée chic (68), Fondue de purée au fromage (72), Pancakes de purée au fromage (140)

Quatre-quarts : Omelette norvégienne à la glace en petit pot (106)

Réglisse : Sablés à la réglisse (54), Soupe de châtaignes à la réglisse (64), Roulés de veau au jambon cru en résille de réglisse (138)

Riz au lait : Riz au lait de coco sur chips de mangue (78)

Saucisses : Salade tiède de lentilles aux saucisses poêlées (96)

Semoule : Semoule au jus de pomme et poelee de fruits (152)

Sirop de fraise : Tarte au sirop de fraise (144)

Sirop de menthe : Forêt verte au sirop de menthe (154)

Spaghettis : Minipizzas de spaghettis poêlés (32)

Spéculoos : Tarte au sirop de fraise (144)

Steak haché : Steak haché géant aux deux lagons bleus (44)

Vache qui Rit : Feuilletés à la bovine hilare (60)

Zan : Roulés de veau au jambon cru en résille de réglisse (138)

La genèse du livre

nicole.seeman@laposte.net

« Dis, Maman, avant d'être dans ton ventre,
j'étais où ?
— Euh… Tu…
— Ne réponds pas ! J'ai deviné. Avant, j'étais
un rêve ! »

(Félix, 3 ans 1/2)

raphaele.vidaling@laposte.net

Cette conversation véridique pourrait s'appliquer à peu de choses près à toutes les genèses. Avant d'être dans nos ventres, ce livre, pour sûr, était un rêve. Ni l'une ni l'autre nous ne sommes cuisinières professionnelles, bien au contraire.

Nicole (40 ans) a pris de nombreux cours de cuisine, toutefois, mais elle doit davantage à son intarissable plaisir d'expérimenter elle-même. Mettre les techniques de cuisson classiques au service des fraises Tagada, voilà qui l'amusait (hum, une petite réserve toutefois sur le crumble aux fraises Tagada : elle a essayé, ça ne marche pas !). Raphaële (31 ans) est encore moins pro des casseroles : ancienne prof de lettres, écrivain et, pour cette collection seulement, photographe, elle aime surtout dans les plats leurs effets de matière, leurs couleurs et leurs goûts inattendus. Mais le rêve était là, datant de l'époque des culottes courtes : faire avouer aux grands qu'ils se trompent quand ils disent aux petits : « Tu aimes ceci parce que tu es petit. Quand tu seras grand, tu aimeras les choses de grands. » Pour combler ce terrifiant fossé générationnel, nous avons commencé par lister les ingrédients évoquant l'enfance, pour inventer ensuite des recettes « d'adultes » à partir de ces données. Une sorte de défi ludique pour répondre à cette fameuse interdiction : ON NE JOUE PAS AVEC LA NOURRITURE ! Ah oui ? Et pourquoi pas ?

Conception graphique : Claire Guigal
Mise en pages : Raphaële Vidaling
Photogravure : Frédéric Bar
Suivi éditorial : Édith Walter
Fabrication : Thomas Lemaître

© Tana éditions
ISBN : 978-2-84567-178-4
Dépôt légal : juin 2010
Imprimé en Espagne